호수 Jezero

 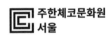

호수

비앙카 벨로바 지음 | 유선비 옮김

JEZERO
BIANCA
BELLOVÁ

마르코폴로

목차

배아 Zárodek

그는 땀이 흥건한 채 할머니의 살찐 손을 붙잡고 있다. 호수의 물결이 콘크리트 방파제에 부딪혀 규칙적으로 찰싹거린다. 마을 해변가로부터 비명에 가까운 고함 소리가 들려온다. 할머니랑 할아버지랑 담요 위에 함께 누워 있는 걸 보니 그 날이 일요일이었던 것 같다. 누군가 더 있었는데, 그는 수영복의 붉은 무늬 세 개가 생각난다. 비키니 삼각형 세 개와 그 위에 말꼬리 같은 검고 긴 묶은 머리, 겨드랑이 밑의 검은 털 두 뭉치가 생각난다. 세 개의 삼각형은 햇볕 아래서 천천히 움직이고 몸을 뒤집자 세 개의 삼각형 중 하나만 남는다. 메기 한 마리가 기슭 가까이에서 게으르게 꼬리로 물을 때리고 있다.

"저 수위가 왠지 평소보다 더 낮아진 거 같은데." 할머니가 말하며 배에 앉은 파리를 찰싹 때려 쳐낸다. 할머니는 해변가 노점에서 산 볶은 해바라기 씨를 씹고는 앞 쪽의 콘크리트에 껍질을 뱉는다.

"무슨 헛소리야?" 할아버지가 웃는다.

"여자들이 생각하는 거 하고는. 세상에서 숙취 다음으로 최악이지!"

할아버지는 웃으며 앞 뒤로 고개를 흔들고 팔을 허벅지에 올린 채 한 손에는 찌든 때가 낀 손가락 사이에 필터 없는 담배 한 까치를 들고 있다.

세 개의 삼각형이 보온병을 들고 그 쪽으로 와서 페퍼민트 차를 따라준다.

"아가, 마시렴." 세상에나, 세 개의 삼각형이 말을 한다. 그건 그들 집 뒤편에 있는 오래된 우물에서 나는 것처럼 기분 좋은 깊은 울림이다. 그는 차를 마신다. 차는 풍미가 있고 꿀을 타서 달달하고 별 거부감 없이 목을 넘어간다.

"자 이리로 오렴, 우리 강아지." 할아버지가 자상하게 말한다. "아무도 네가 겁쟁이라고 말하지 않게 말이야. 여기서는 모든 남자애들이 세 살이면 수영을 할 줄 알아야 해."

할아버지는 손바닥으로 둥근 배를 문지른다. 담배 꽁초는 물로 퐁당 빠져 치익 소리를 낸다. 그는 물에 들어가고 싶지 않다. 담요 위에서 할머니의 부드러운 배를 베고 누워 세 개의 빨간 삼각형을 쳐다보고 싶다. 그는 팔을 들려고 시도해보지만 느리게 다시 무릎으로 떨어지고 만다. "가거라, 아가야." 할머니가 그를 북돋운다. "막대 사탕을 사주마."

셀로판 용지로 쌓여 있는 막대사탕은 언제나 뿌리치기 어렵다. 나미는 그걸 평화의 날과 같은 특별한 날에만 받았고 세 개의 삼각형이 올 때만 받는다. 막대사탕은 달군 설탕과 제비꽃 향이 난다. 그게 그렇게 맛이 있는 것은 아니었지만 귀한 막대사탕은 매번 그걸 원하게 만들고 그로 하여금 막대사탕을 얻기 위해 뭔가 하게 만든다.

그는 천천히 몸을 일으키지만 몸을 세우기도 전에 공중에서 날고 있음을 깨닫는다.

"자 헤엄쳐봐라, 상어처럼!" 뒤에서 할아버지가 소리지르며 웃는다. 세 개의 삼각형도 할머니도 소리를 지른다. 고통스럽게 옆구리를 강타당하고 어두운 물속으로 가라앉는다. 그는 머리 위로 그가 빠진 뒤에 남은 물보라 사이에서 햇살이 반짝거리는 모습을 바라본다. 그는 숨이 차고 폐가 아프다. 가라 앉을수록 물이 차가워지다가 마침내 몸이 굳어진 채 팔은 몸 옆에서 측면으로 흔들거린다. 그는 잠시 후에 바닥에 사는 호수의 정령을 보게 될 거라는 생각이 든다. 폐에 느끼는 압력이 증가하고 귀가 멍멍하다. 본능적으로 숨을 헐떡이며 물을 꼴깍꼴깍 마시기 시작한다. 그는 팔과 다리를 필사적으로 흔들었고 그래서 수면에 다다른다. 모든 것이 검은 빛이고 반짝인다.

"무식한 노인네 같으니," 그가 마침내 숨을 들이 쉬고 더러운 물을 토해내기 시작하자 할머니가 안도한다. "이 영감탱이, 아무도 당신에게는 지렁이가 든 깡통도 안 맡길 걸!"

"왜 그래? 잘하는데, 아냐? 혼자 수영하는 거 못봤어?" 할아버지가 예상했다는 듯 말하는데 목소리가 약간 떨린다. "우리 강아지가 전사로구먼!"

"우리 강아지, 이리로 오렴." 땅속 깊은 곳으로부터 세 개의 삼각형이 말을 하면서 그를 끌어안는다. 떨리는 한 사람의 가슴이 다른 이의 가슴에 닿는다. 그는 기침을 멈추고, 삼각형 아래의 구리 빛 피부는 따뜻하고 향기가 난다. 세 개의 삼각형은 그를 끌어당겨 입을 맞추고 무엇인가 속삭인다. 이제 마음은 평온하고 그 여인의 머리칼이 얼굴을 간지럽힌다. 그녀가 노래를 시작한다.

"걔한테 노래해주지 마라." 할머니가 그녀에게 소리친다. 그는 몸을 움찔하지만 이내 평온하게 누워있다. 그는 움직임 없이 마치 죽은 것처럼, 여기 전혀 없다는 시늉을 한다. 노래가 잠잠해지고, 그녀가 숨을 내쉴 때마다 이미 추를 때리지 않는 종이지만 여전히 울리는 진동 같은 그런 짙은 소리가 울려 나온다. 이렇게 영원히 계속되었으면 하고 바란다. 나미는 곁눈질로 그녀의 얼굴을 쳐다보지만 그저 코끝과 솟아오른 광대뼈만 보인다. 그들이 집으로 돌아올 때 나미는 정신을 잃고 할아버지가 그를 옮겨야만 한다.

그들은 통치자의 동상과 소련인들이 쓰레기 매립용으로 판 도랑이 있는 광장을 지나지 않고 주택단지 뒤쪽으로 돌아서 간다.

"이 녀석, 꽤 무겁네." 할아버지가 구시렁거린다. 발이 미끄러졌을 때는 그럭저럭 간신히 균형을 잡는 데 성공한다. 그는 집에서 막대사탕을 받는다. 막대사탕을 핥으며 눈으로는 그 사이 청록색 꽃무늬 원피스로 변해 있는 세 개의 삼각형을 따라다닌다. 만일 저 원피스를 만지는 게 가능하다면 그건 보답으로 소년에게 향기를 내어주겠지.

저녁 때 그는 심하게 토하기 시작한다. 그의 위장은 컨트롤 할수 없이 배배 꼬이고, 몇 리터나 될 법한 더러운 물과 페퍼민트 차와 양치즈를 곁들인 팬케이크를 쏟아낸다. 청록색 꽃무늬 원피스는 소년의 이마를 어루만지며, 토하는 동안 머리를 받쳐주고 입을 닦아주면서 달랜다. "쉬잇, 우리 강아지, 곧 좋아질 거야"라고 그녀가 속삭인다.

아침에 깨어났을 때 청록색 원피스는 이미 사라지고 없다. 그는 소련 홍차를 마시고 즉시 그걸 게워낸다.

≈

그는 생선 비린내 속에서 자랐기 때문에 실질적으로는 한 번도 그걸 느끼지 못했다. 보로스에는 철갑상어 부화장이 있고 바로 옆에는 생선가공공장이 있다. 이웃인 알레아는 생선공장에서 일한다. 그녀는 가끔 우리 집에 와서 포치에 앉아 있고, 감자 한 포대와 바꾸려고 캐비아 한 통을 가져온다. 그러면 그는 그걸 아침에도 저녁에도 먹어야 하고, 통 옆에 앉아 속이 괜찮을 정도까지는 숟가락으로 그걸 떠먹는다.

"다 먹었니?"

할머니가 물으면 그는 눈을 내리깔고 멍하니 바닥을 쳐다본다.

"잘 했네." 할머니가 말한다.

"캐비아가 세상에서 제일 건강에 좋은 거야. 인삼 바로 다음이 지!"

"그리고 잠자리 다음으로" 구석에서 할아버지가 웃으며 엄지 손가락으로는 눈가를 문지르고 검지와 기형의 중지 사이에는 필터 없는 담배를 들고 있다.

"창피하지도 않아, 영감은!" 할머니가 그를 나무라지만 얼굴은 웃고 있다. 팬케이크를 굽고는 버터를 바르고 그걸 그에게 건네며 "넌 귀족들이나 먹는 걸 이렇게 먹는구나"라고 말하며 웃는다. 그는 캐비아를 좋아한다. 하지만 그는 그게 다가 아니라는 생각이 든다. 뭔가 더 본질적인 것이 그의 앞에 놓여있길 바라지만 네 살짜리가 그걸 명확하게 설명할 방법이 없다. 이빨 사이에서 검은 알갱이를 부수며 아무 생각없이 무릎에 앉은 딱지를 떼어낸다.

할머니는 꼬리뼈 위에 큰 혹이 있다. 그리고 넓고 골격이 큰 골반을 가지고 있는데 배가 말캉말캉해서 그는 그 위에서 잠들곤 한다. 그녀는 거칠고 건조한 손바닥으로 그의 머리칼을 쓰다듬으며 호수의 정령에 대한 동화와 콜로스 절벽 안에 잠든 채 위대한 전사가 그들을 깨우러 오기를 기다리고 있는 금장 칸국에 대한 동화를 이야기해준다.

"그게 나일까?" 그가 묻는다.

"아가, 그게 너 일거야." 할머니가 웃는다.

"그들을 어떻게 찾지?"

"우리 강아지, 분명한 계시가 너를 이끌어 줄 게다."

할머니가 말을 하자 그는 조용하게 잠이 든다.

≈

오늘은 한 해의 가장 큰 명절인 '어업의 날'이다. 광장에 있는 통치자의 동상 주변으로 마을의 모든 사람들이 모여들고, 아이들은 눈처럼 흰 남방을 입게 되는데, 소년들은 색색의 넥타이를 매고 소녀들은 리본을 달고 있다. 보통 청어와 해바라기 씨를 파는 상인 아켈은 솜사탕과 맛있는 도넛을 판다. 모두가 명절을 축하하기 때문에 이 날은 어떤 어부도 호수에 나가지 않는다. 호수의 정령에게 성대하게 재물을 바쳐야 하기 때문에 오전 11시에는 이미 발 디딜 틈이 없다.

생선가공공장의 사장은 긴 연설을 하는 동안 호수와 하늘을 번갈아 보며 발전과 협력에 대한 찬사를 쏟아낸다. 머리에 주술사의 띠를 한 남자가 통치자의 동상 주변에서 춤을 춘다. 그런데 마치 그가 거기 없다는 듯이 아무도 그에 대해 얘기하지 않는다. 첫 번째 열의 소련 기술자들과 그들의 부인들은 대도시 스타일로 옷을 입었다. 여자들은 굽이 있는 구두를 신었고 팔에는 가죽핸드백이 들려 있고 머리는 한껏 부풀린 스타일을 하고 있다. 현지 아낙네들은 그들을 경멸적으로 얘기하고 어떨 때는 침을 뱉으며 말하기도 한다. 소련 꼬마들 중 하나가 무덤덤한 표정으로 경외의 대상이 된다. 왜냐하면 연설 중에 작은 페달을 밟는 작은 자동차를 타고 삐걱거리며 광장을 누비고 다니기 때문에 아이들은 눈을 뗄 수가 없다. 그는 할머니의 땀이 난 손을 잡고 다리를 비비 꼬고 있다. 조금 전부터 오줌이 마려워 미칠 거 같다. 손에는 물고기 모양의 퍼레이드용 봉을 쥐고 있다.

　다른 쪽에는 할아버지가 서 있는데, 서 있다기보다는 흔들린다는 표현이 맞을 듯하다. 할아버지의 머리는 숙여지고 때로는 큰소리로 쩝쩝거리는 소리를 낸다. 갑자기 천둥소리가 울렸고 어쩌면 소련 막사에서 나는 총성일지도 모른다. 소련 기술자들과 그들의 부인들은 서로를 밥 맛없다는 듯이 쳐다본다. 더 이상 아무도 연설을 듣지 않는데, 여자들은 작은 목소리로 수다를 떨지만 예의상 자리를 뜨지는 않는다. 모두들 준비되어 있는 만찬 생각을 하고 있다. 캐비아를 얹은 팬케이크, 마요네즈로 버무린 청어, 양파로 만든 파이, 여자들을 위한 과실주 그리고 남편들을 위한 갖은 종류의 독주들. 그는 계속해서 탱크처럼 웅덩이를 지나다니는 초록색 페달 자동차를 눈으로 쫓고 있다. 시선을 돌리려고 노력하지만 그게 되질 않는다. 자동차는 눈을 감아도 계속해서 보이고 그는 질투심으로 고통스럽게 배알이 꼬인다.

"할머니, 이제 우리 가자."

"벌써, 기다려봐."

"얼마나 더요?"

"잠깐만 더."

잠깐이란 시간이 다섯 살짜리 아이에게는 극한으로 끝이 없는 시간처럼 느껴진다.

"할머니."

"왜 자꾸 그러니?"

그는 말이 없다.

"너 지렸구나."

할아버지는 졸다가 정신을 차리고 영문을 모른 채 주위를 두리번거린다.

"애가 지렸어."

할머니가 속삭이듯 말을 하고 할아버지를 쿡 찌른다.

"멍청한 놈"

할아버지가 쉰소리를 낸다.

그가 입은 반바지의 앞쪽부터 얼룩이 번져 나가기 시작하고 소변 줄기는 양쪽 허벅지를 타고 흘러내린다. 다시 천둥소리가 들리고 이번에는 번개까지 친다. 공장의 사장 앞에는 아직도 연설문이 몇 장이나 더 남아있는데 연설문이 적힌 종이는 바람 때문에 너풀거린다. 하늘에서는 다음 경고도 없이 마치 할머니가 빨래용 대야를 쏟아 붙듯이 갑자기 비가 쏟아진다. 여자들의 올린 머리가 쏟아져 내리고, 얼굴을 따라 푸른 화장은 수자원 지도처럼 흘러 넘치고, 순간적으로 광장에 생겨난 진흙탕에 하이힐이 미끄러지는 그 와중에도 생선공장 사장은 연설을 멈추지 않는다.

통치자의 동상은 말없이 하늘을 향해 팔을 들어올리고 서 있다. 사장은 소나기에 흥건하게 젖었고 그의 붉은 퍼레이드용 봉은 막대만 남았으며 팔을 따라 붉은 색의 물줄기가 시냇물처럼 흐른다. 광장은 쟁기질한 땅으로 변했고 사람들은 진창에 발목까지 빠지고 신발은 벗겨진다. 페달 자동차를 탄 소년은 진흙탕에 처박혀서 울음을 쏟아낸다. 할아버지는 머리를 젖히고 얼굴에 비가 떨어지는 것을 맞는다. 광장은 살짝 경사가 져 있어서 오래가지 않아 꼬마들은 진흙탕 속에서 멋지게 미끄럼을 탈수 있다는 걸 알아차린다. 아켈은 멈춰 세울 수 없이 경사면을 따라 움직이는 가판대를 잡으려고 절망적으로 안간힘을 쓴다. 도넛들이 기울어진 매대에서 뒹굴고 진흙탕으로 떨어진다.

"아포칼립스" 진지한 표정의 할아버지가 천천히 중얼거린다.

하늘에서는 계속해서 물이 쏟아지고 최종 유효기간을 다한 마이크가 서비스 종료를 알리지만 사장은 말하는 걸 멈추지 않는다. 이건 마치 무성의 그로테스크와 같다. 시간이 갈수록 점점 더 가까이에서 비와 천둥의 으르렁대는 소리에 할머니는 매번 몸을 웅크리고 겁을 먹은 채 호수를 바라본다. 주술사는 머리의 관을 부여잡고 천천히 사라져간다. 그러자 사람들의 무리가 최면술에 걸린 듯 천천히 움직이기 시작한다. 공장 사장이 천천히 마이크를 든 손을 내리자 그의 자켓과 셔츠 소매 아래에서 물이 흘러내리고 원망하듯이 하늘을 쳐다본다. 그는 자기 자신을 어쩔 도리가 없다는 듯 갑자기 웃음을 터트리고 미치광이처럼 낄낄거린다. 할머니는 눈으로 휘갈기지만 그는 더 크게 웃어 제치고 할머니가 집으로 끌고 갈 때까지도 히스테리컬한 웃음을 멈추지 않는다.

그는 집의 문턱을 넘어서자 웃음을 멈추고, 할머니가 소년의 젖은 허벅지를 찰싹 때리자 마침내 조용해지지만 마찬가지로 밤 늦게까지 오랫동안 딸꾹질을 한다.

그 해 어업은 풍년이었다.

≈

가끔 아침에 잠에서 스스로 깨어나고, 햇빛은 창문을 통해 나미의 침대를 비추고 있다. 다른 때는 할머니가 아침에 깨우기 때문에 이런 경우는 방학임에 틀림없다. 밖은 이미 안보다 덥다. 부엌에서는 할아버지가 내는 흡연자의 기침소리가 들려오고 먼 곳에서는 여인선의 경적 소리가 들려온다. 그는 침대에서 팔과 다리를 벌린 채 누워 백리향과 레이디스 맨들이 말라가고 있는 천장을 뚫어지게 쳐다본다. 이렇게 여생을 보낼 수도 있겠다는 생각이 든다. 침대에 앉으면 호수까지 보인다. 그는 기지개를 켜고 옷을 입는다. 식탁 위의 접시에는 할머니가 아침 식사로 만든 도넛이 덮여서 놓여 있고 지금은 그냥 미지근하다. 그는 밖으로 뛰어나가며, 지난번에는 구조물이 무너졌고 그래서 등을 다쳤던 거와는 다르게, 이번에는 나뭇가지 속에 안식처를 짓는 데 성공할 거라고 다짐을 한다.

멀리 보이는 유일한 나무는 벚나무로 번개를 맞아 줄기가 적갈색이고 나뭇가지는 반 정도 말라버린 상태다. 그는 크기가 다른 몇 개의 판자들을 펼쳐 놓는다. 판자들이 미끄러지고 떨어져서 밧줄로 묶어야 한다. 그는 신음하고, 나뭇가지는 흔들리고, 판자는 틀어져 솟아오르고, 못은 공허하게 판자를 뚫고 지나간다.

"젠장", 그는 화를 내면서 소리를 지르고는 망치를 땅에 내팽개친다.

"이 녀석, 거기서 뭘 하는 게냐?" 막 측간에서 나오는 할아버지가 소리친다.

"이런 선머슴 같은 놈아, 널 난도질할 애비가 없는 걸 다행으로 알아라."

그는 잠깐 생각에 잠기고 어떻게 아버지가 자신을 갈기갈기 찢을지를 상상하다가 그 상상이 멋지다는 생각이 들었다.

"저 놈이 하나 있는 나무를 망쳐 놓는구나. 여태까지 충분히 못 괴롭혔지." 할아버지는 할머니를 향해 고래고래 소리친다. 할머니는 한 손은 허리 옆에 얹고 다른 한 손은 눈에 차양을 만들며 그를 찾는다. 그는 창고 뒤쪽 바닥에 주저앉아 돌을 깨고 있다. 무거운 망치를 머리 위로 들어 올려 높은 곳에서 그걸 놓으며 눈을 감는다. 이마가 땀범벅이 되고 돌이 가루가 될 때까지 다시 내리친다. 이게 그에게 만족감을 준다. 그는 커다란 물집이 올라온 자신의 손바닥을 쳐다보다가 결국 풀밭에 망치를 던져버리고 먼지를 씻어 내려고 호수로 달려간다.

"이 몹쓸 놈아, 이리와, 내가 흠씬 패 줄 테다." 뒤에서 할아버지가 소리친다. 그는 달린다. 할아버지가 절대 그를 따라잡을 수 없다는 것을 알고 있다.

≈

"내가 잘은 모르지만 어떻게 저 생선가공공장이 부화장 바로 옆에 세워졌는지가 이상하다는 생각은 들어." 이웃사촌인 알레아가 말했다. "나도 저 생선들이 뇌가 작다는 걸 알지만, 그래도 그렇지, 저건 조산원 옆에 묘지를 만드는 것과 같은 거잖아, 안 그래요?"

"강아지야, 약주 좀 따라다오."

할머니가 말을 하고, 그는 작은 술잔에 감자로 만든 독주를 따른다. 그러자 할머니는 플라스틱 재질의 식탁보를 손으로 훑고 나서 한숨을 쉬고는 먼 곳을 바라본다.

"그런데 왠지 저게 좀 수가 적고 줄어든단 말이야." 알레아가 계속 아는 척을 한다.

"뭐가?" 할머니는 영혼없이 대꾸한다. 할머니는 오늘 알레아와 부레크[1] 반죽을 밀고 있고, 반죽 한 겹 위에 또 한 겹을 만들고 층 사이에 버터를 바르고 거기에 다시 층을 쌓는다. 밀대 대신 학교 체육실에나 있을 법한 1미터짜리 나무 막대기를 쓰고 있다. 할머니는 거칠게 숨을 쉬며 허리를 손으로 받치고 등을 뒤쪽으로 젖힌다.

"철갑상어지 뭐겠어요" 알레아는 뾰로통하게 말을 한다.

집은 파란 색으로 덧칠이 되어있고 지붕은 하얗다. 문은 단단한 아카시아 나무로 되어있다. 지붕에는 구멍이 뚫려 있어서 날씨가 좋으면 햇살이 안쪽으로 비치지만 비가오면 물이 새들어온다. 바닥의 오래된 마룻바닥 사이에는 작은 뱀들이 살고 있는데 사람들의 발걸음 소리가 들리면 틈새 사이로 다시 사라진다. 할머니는 집안의 뱀들이 행운을 유지해 준다고 말하며 그들을 위해 접시에 우유를 부어준다.

집은 낮은 언덕 위 호수가 보이는 곳에 있어서, 항구로 돌아오는 배들이 잘 보인다. 작은 난간이 있는 포치는 한 턱 위로 올라가 있다. 그곳에는 늘 할머니가 자리하곤 하는데, 남자들이 집으로 돌아오는지 살펴보며 탁자에 기대어 앉아 있곤 한다. 이곳에서 뜨개질을 하고 수를 놓고 저녁식사에 쓸 야채를 썰고 감자를 깎고 실 핀으로 체리의 씨를 빼고 손님을 맞이한다.

"저거 맘에 안 드는데" 할머니가 피곤해 하며 말을 한다. 호수가 끝나는 수평선 위에 보통은 폭풍을 의미하는 무거운 구름이 모여들

---

1) 부레크: 얇은 밀가루 반죽을 여러 겹으로 쌓아 만든 파이의 일종

고 있다. "재수없는 소리 말아요, 아줌마!" 알레아가 할머니에게 소리친다. "나미야, 약주나 더 따르렴. 매년 4월이면 매번 동쪽에서 저런 구름이 몰려 오잖아요.

할머니는 한숨을 내쉬며 반죽의 층 사이 사이에 염소치즈를 뿌린다. "봐 봐, 정령이 인상을 쓰고 있잖아. 여전히 화를 내고 있는 거라고."

"조용히 해요"

"아직 화가 안 풀린 게지"

"쉿!"

"계속 더 많은 걸 원하는 거라고!"

호수 위의 하늘은 납덩이처럼 무겁고, 나이 들고 뚱뚱한 남자가 신혼 첫날밤 새신부를 덮치려는 것처럼 무거운 구름이 온 시야를 덮고 있다. 그는 정원에서 달팽이를 찾아 한무더기로 옮겨 놓는다. 그건 그의 달팽이 유치원으로, 달팽이를 긴 의자 위에 두 반으로 늘어 놓고 달팽이들이 똑바로 대답할 줄 모를 때는 인상을 쓰고 훈계를 한다. 어떤 때는 말에 더해 회초리를 들기도 한다.

"알레아, 난 무서워." 할머니가 조용히 말하며 팔을 떨군다.

"그건 나도 마찬가지야, 이 아줌마야." 알레아가 말하며 할머니를 안아준다. 두 여인은 군상을 만들고 서로에게 의지하며, 온 힘을 다해 끌어안고 함께 전율한다. 벌써 몇 번째인가. 언젠가는 누군가가 눈가에 손그늘을 만들며 수평선을 쳐다보는 어부 여자의 동상을 만들 것이다. 이렇게 끊임없이 바라보는 행위 때문에 오른 손이 조금 더 근육질인 여인들의 군상이 되겠지.

"강아지야, 주술사를 불러 오거라." 할머니가 부른다.

"아무데도 가지마라, 할머니가 취했다"라고 알레아가 부른다. 그는 손으로 넓적다리를 문지르며 다음 명령을 기다린다.

"이 아줌마야, 항상 그러듯이 다들 돌아올 거야. 그렇게 예민할 거 없어요." 알레아가 말하며 어설프게 할머니 손목을 쓰다듬는다.

할머니가 오븐에서 부레크를 꺼낼 때 벌써 빗방울이 한 두 방울 떨어지기 시작한다. 모두 함께 기름진 반죽을 씹으며 창문을 통해 물결이 뒤섞이는 것을 바라보지만, 아무도 말이 없다.

그는 위층 자기 방 바닥에 누워 메모장에 할아버지의 보라색 잉크가 담긴 펜으로 그림을 끄적거리고 있다. 비는 유리로 된 작은 창문을 때리고, 바람은 헛간 위 풀어진 천을 펄럭이게 한다. 그는 트랜지스터 라디오를 켜 놓고 매일 저녁 같은 방송을 듣고 있다. 차분한 여성의 목소리가 뱃사람과 어부를 위해 다음 24시간의 일기 예보를 이야기한다. 기분 좋은 짙은 알토의 소리가 호수의 각 지역의 바람의 세기, 예상되는 강우량과 흐린 정도를 이야기한다. 그 여성은 나무의 잎을 살랑거리게 하는 미풍에 대해 말하는 것처럼 그런 목소리로, 보퍼트 풍력 계급 10 강도의 강풍에 대해 이야기를 함으로써 그를 안심시킨다. 그는 바닥에 머리를 대고 잠이 든다. 아침에 깨어났을 때 하늘은 비질을 한 것처럼 깨끗하고 태양은 작열하고 있다.

온 몸이 뻑적지근하고 배가 고프다. 아침을 먹으러 아래로 내려가며 손을 쳐다보니 펜의 잉크 때문에 온통 보라색이다. 부엌의 탁자 위에는 초가 타고 있다. 할머니는 구석에 앉아 벽에 등을 기대고, 눈을 부릅뜨고 앞을 멍하니 쳐다보고 있다. 할아버지와 알레아의 남편과 또 다른 여섯 명의 어부가 사라졌다.

≈

그는 버스정류장의 인도에 앉아서 두 발은 도로에 두고 있다.

"뭐하고 있냐?" 알렉스가 묻는다. 알렉스는 알레아의 아들이고 아버지와 할아버지가 모두 호수에서 죽었다. 알렉스는 그의 어머니처럼 붉은 머리칼을 하고 주근깨투성이다.

"소련 놈들을 쏘고 있어." 그는 흥분하지 않고 말을 하며 소매에 코를 닦는다. 도로를 따라 가지크[2]가 지나가며 먼지를 일으킨다. 소련인은 운전대를 잡고 담배를 피우며 인상을 쓴다. 차가 지나갈 때 그는 상상의 기관총을 들어올리고 실눈을 뜨고는 오른쪽에서 왼쪽으로 또 그 반대로 차를 향해 총탄을 쏘아 댄다.

"저거 완전 깡통이네" 알렉스가 고개를 끄덕이며 다가 앉는다. "굿 잡"

그들의 일은 많지가 않다. 도로는 필요 이상으로 넓고 평화의 날과 어업의 날을 제외하고는 교통량도 적다. 길에는 가끔 생선조합으로 가는 화물차나 혹은 항구로 가는 중장비가 지나가곤 한다. 가

---

2) 가지크(gazík, ráзик) : GAZ 자동차로 소련 산의 차를 지역주민들이 부르는 별명.

지크 몇 대와 하루에 두서너 번 버스가 지나간다. 아침에는 양떼가 동쪽으로 향하고 오후에는 돌아온다.

지금은 둘이서 함께 일을 한다. 그는 기관총을 난사하고 알렉스는 수류탄을 던지고 둘 다 폭발하기 전에 몸을 움츠린다. 폭발이 장관을 이루고 폭발로 인간의 몸과 무기 파편이 날아다닐 때면 그들은 승리에 찬 듯 하이 파이브를 한다. 그는 만족한 듯이 침을 뱉는다. 타액이 길을 따라 구르고 먼지를 뒤집어쓰며 뒹굴다가 빨간 색 운동화 한 켤레 옆에 멈춘다.

"너희들 소련 자동차를 쏘면 주둥이를 얻어터질 거고 부모님은 총살당할 거야"라고 운동화 위의 머리가 말을 한다. 그 머리는 한 여자애의 것으로, 그 여자애는 광장에 있는 여학교에 다니며 아홉 살, 열 살 정도로 그들과 비슷한 나이인데 머리에는 커다란 노란색 리본을 달고 있다.

"난 부모님이 없어." 그가 답하며 눈을 가늘게 뜬다.

소녀는 잠시 쳐다보고 나서 어깨를 으쓱하고는 가던 길을 간다.

"존나 꼴리는데." 알레스가 말하며 고개를 끄덕인다.

"넌 니 할머니랑도 그지랄 하고 싶지." 그가 말을 하며 먼지에 또다시 침을 뱉는다.

그들은 반쯤 적재된 컨테이너선이 항구로부터 출항하는 것을 눈으로 쫓고 있다.

"나 밤새 토했어." 알렉스는 말한다.

"너 호수에서 수영했나?" 소년이 묻는다.

"응, 오후 내내."

"나도 수영하고 나면 토해."

리본을 단 소녀가 더 이상 보이지 않는다. 하늘이 휘파람 소리를 내고 잠시 후 전투기 세 대가 날아간다. 두 소년은 자기의 가상의 무기를 조준하고 창공의 기계를 격추시킨다. 그리고 나서는 뿌듯한 듯 먼지에 침을 뱉는다.

≈

항구 위쪽 언덕에는 먼지나는 길이 양쪽으로 나 있고 그 길을 따라 어부들의 집이 보인다. 길 끝에는 청어 파는 가판대와 다른 한 쪽에는 해바라기 씨를 파는 가판대가 있다. 여름에는 솜사탕을 파는 청년이 오곤 하는데 거리 끝에 있는 선술집 전체를 세내어 솜사탕을 판다. 집들은 견고하고 벽돌로 되어있으며 대부분 단층이다. 단지 몇몇 집들 만이—그와 할머니가 사는 그런 집을 포함한—복층 건물이다. 이 거리는 '나 리바르슈스케³⁾'라고 불리며 이곳은 비공식적으로 마을의 심장이다.

리바르슈스카 서쪽에는 보건소, 문화회관, 우체국, 학교와 같은 기능적인 건물들이 있고, 다른 주민들의 집은 분명한 계획 없이 세워진 것으로 보인다. 집들은 거의 길을 만들지 않고 표면에서 무작위로 생겨나 있고, 종종 완전히 놀랍게 생겨나기도 한다. 동쪽에는

3) 나 리바르슈스케: '어부의 거리'라는 의미.

광장과 통치자의 동상이 있는, 기술자들을 위한 소련 주택단지가 조성되어 있고, 숲 쪽으로 조금 더 가면 공사 때문에 부분적으로 물러나 있는 막사 건물이 있다.

하모니카와 취한 고함소리가 거주지에서도 들린다. 주택단지는 소련인을 위해 만들어진 몇몇 아파트이며, 보로스에서 말하길, 거기에는 집마다 보드카를 넣어둘 수 있는 장식장이 갖춰져 있고 영화관이 있는 쇼핑센터와 수영장이 있는 호텔이 있다. 수영장이 있다니!

콘크리트로 된 광장에는 통치자의 동상이 있다. 아파트 사이에는 콘크리트 처리된 금속 기둥들이 비스듬하게 서있고 거기에는 끈이 달려있다. 그 끈에는 색색의 빨래, 거대한 브래지어, 정확하게 정의하기 어려운 색의 고쟁이들이 마르고 있다. 유니폼들이 끈 위에서 바람부는 대로 펄럭이고 있지만 비행중의 특정한 순간에 멈추고는 통치자 동상에게 정중하게 군대식 경례를 한다.

"소련인들은 유쾌해, 밤에는 다시 또 왁자지껄 하겠지만." 할머니는 갈라진 발뒤꿈치에 낙타기름을 문지르면서 숨을 들이쉰다. "적어도 다시 총질은 안 했으면 좋겠구만"

"안할거야." 그가 말한다. "저들은 주택단지의 기술자들이지 그 막사의 돌대가리들이 아니니까."

"무슨 상관이겠니. 얘야, 약주나 따라다오."

"할머니?"

"응?"

"뼈가 욱신거려, 특히 밤에. 그래서 자다가 깨."

"우리 강아지, 어디가 아프니?"

손으로 양쪽 정강이를 가리킨다. "여기"

"너 무슨 나쁜 짓 하는 것은 아닐테지? 이불 밑에서? 아니지? 만약 한다면 그 아픈 건 벌받는 거다."

"에이, 할머니."

"응, 그냥 만약에."

"할머니, 못살아."

"살든 못살든 나쁜 짓은 안 하는 거다. 선반에서 뼈에 바르는 약 가져다 바르렴"

그는 일어나서 할머니에게 술을 따른다. 그러고 나서 선반 위에서 단지들 사이를 훑어본다.

"이거?"

"그건 차 윤활유지, 바보야. 거기 옆에… 아마 보라색 상자… 그걸 열어봐."

"이거 썩은 발냄새가 나는데."

"그게 맞을 거야."

그는 천천히 그 물질을 정강이에 바르고 천천히 문지른다.

"이거 확실하게 도움이 되는 거지?"

"녀석 지 할아버지처럼 말이 많구만." 할머니는 머리를 끄덕이고 침묵을 깬다. "그 양반 없이 얼마나 슬플지 아무도 미리 말해주지 않았지." 잠시 후에 드라마틱하게 한숨을 내쉰다.

그는 인상을 찌푸린다. 연고 냄새에 마비가 되는 거 같다. "그런데 할아버지는 계속 할머니에게 함부로 했잖아. 때리기도 했고. 마지막에는 할머니 이빨을 부러뜨리기도 했어, 그걸 기억 못하는 건 아니겠지?"

할머니는 손을 내젓는다. "지금 할아버지가 문으로 들어온다면 한 대 더 때리라고 얼굴을 내줄 수 있어, 그까짓 이빨 하나 더 부러뜨리라지."

그는 할머니가 소리없이 울면서 더러운 손으로 얼굴에 흐르는 눈물을 닦는 것을 알아 차렸다.

"혼자 있다는 게 세상에서 가장 흉한 일이야." 여전히 흐느낀다.

할머니는 자주 감상에 빠지고 그렇게 하는 걸 좋아해서, 그는 더이상 상관하지 않는다. 그 뿐만 아니라 혼자 있는 걸 가장 좋아한다.

"불쌍한 인간. 그래도 사막 어딘가가 아니라 호수에는 누워있겠지."

"할머니, 우리 부모님은 어디 있어? 왜 나는 다른 애들처럼 아빠와 엄마가 없어?"

할머니는 그 말을 듣지 않는다.

"그 아줌마는 어디 있어? 언젠가 할아버지가 수영 가르친다고 호수에 나를 집어 던졌을 때 호수 옆에 있던 그 아줌마 말이야. 내가 토했을 때 빨간색 수영복을 입고 내 머리를 잡아 줬었잖아."

할머니는 반항하듯 고개를 홱 돌린다. 마치 그가 종종 왜 숙제를 해오지 않았는지 선생님께 설명해야 할 때처럼. 그러면서 할머니는 자그마한 장미꽃들이 피어 있듯이 습진으로 덮인 자기 손등을 쳐다본다.

"네가 꿈을 꾼 거겠지. 어쩌면 이웃 알레아였을지도 모르고. 알레아가 가끔 우리랑 수영하러 다녔잖아."

"말도 안돼." 그는 고개를 내젓는다. "알레아는 빨강 머리에 뚱뚱하고 생선 비린내가 난다고."

"자러 갈 시간이다." 할머니가 말한다.

"일찍 잠자리에 드시지. 내일 아침에 학교 빼먹지 않게. 오늘 내가 널 도저히 깨울 수가 없었거든."

그는 한숨을 쉬며 일어난다. 몸을 숙여 걷어 올렸던 바지단을 내린다. 할머니는 소년의 바지가 짧아서 복숭아뼈 위로 올라오는 것을 발견하지만 아무 말도 하지 않는다.

"입도 비누로 닦아라, 이 수다쟁이 말썽꾸러기야." 할머니가 그의 뒤에서 소리친다.

≈

그는 노랑 리본을 한 소녀를 거의 매일 하교 길에 마주치는데, 그 리본은 어떤 때는 파란 색, 어떤 때는 땡땡이 무늬이기도 하다. 둘 다 모두 눈을 내리깔고 거의 서로를 보지도 않고 지나친다. 항상 그는 목젖이 약간 조여 드는 느낌을 받는다.

"저 애가 밝히는 애라는데 내 신발을 건다"라고 알렉스가 말하지만 나미는 보통 때처럼 그에게 집중하지 않는다. 아켈의 매대에서 볶은 해바라기 씨를 사서 버스정류장의 보도 위에 앉아 도로에 껍질을 뱉는다.

"이봐, 애들아." 벌써 면도를 하는 두 녀석이 말을 건다. 둘은 고학년에 다니고 있고, 부모들은 이들이 공부를 잘해서 해군 사관학교에 갔으면 하고 바라지만 대부분은 그들 아버지들이 그랬듯이 어선을 타는 것으로 끝나는 멍청이들이다.

"이봐, 짜식들아, 너희들 떡치고 싶냐?" 한 녀석이 말을 하며 평소 많이 했던 것처럼 꽁초를 커다란 반원을 그리게 하며 거리 너머로 내던진다.

"그렇게 되겠지."

알렉스가 조심스레 말하고는 긴장해서 눈을 깜빡인다.

"그럼 너는" 멍청이가 말을 하며 그의 발을 가볍게 찬다.

"너 아직 안 해봤지, 안 그래?"

"해봤다, 네 엄마랑 했다."

두번째 멍청이가 깔깔거린다.

"뭐 진짜 섹스를 경험하고 싶지 않다면…" 첫 번째 멍청이가 화가 나서 말한다. 얼굴에는 큰 여드름 하나가 있다.

그들은 마을을 통해 걸어 가고 있고, 사막으로부터 오후의 건조한 바람이 불어온다. 낙타들이 울부짖는다. 날씨는 뜨겁고 이마에는 땀이 맺혀 있다. 그들은 소련 주택단지를 거쳐 생선가공공장과 드라이독 주변을 지나서 비탈을 따라 집시촌을 향해 간다. 어디에도 인적이 없다. 그저 한 목조 건물 앞에 늙은 여자 집시 한 명이 앉아있고 머리에는 스카프를 두른 채 담배를 피우고 있다.

"그럼 집시여자, 응?" 알렉스가 이해한다는 듯이 속삭인다. 그는 주머니에 손을 넣고 뒤에서 어슬렁거린다. 멍청이들은 기다리지 못하고 웃어 대며 서로에게 윙크를 한다.

"저기에 있네." 여드름이 거리에서 유일한 벽돌집을 가리켰다. 그 집은 출입문이 있지만 아무런 울타리도 없다.

"헤이!" 두 번째 멍청이가 부르자 포치 위에서 잠자던 불그스레한 털 색을 한 개가 조심스레 고개를 들더니 뛰어오른다.

"뭐, 이 벼룩투성이 똥개 새끼야, 네가 꼴에 지키고 있다는 거냐?"라며 여드름이 웃는다.

개는 미친듯이 짖어 대며 그들을 향해 달려든다.

"뛰어!" 네 명 모두 집시의 거리를 지나 온 길로 다시 뛰기 시작한다. 두 멍청이는 한 오두막 앞에 세워 둔 수레 위로 뛰어오르고는 어디가 아픈 사람처럼 웃어 댄다. 그와 알렉스는 계속 도망치고 화가 난 개는 그들 발끝까지 쫓아온다. 늙은 집시 여자가 뒤에서 뭐라고 소리친다. 그는 개가 바지를 찢어 놓으면 할머니가 미친듯이 화를 낼까봐 겁이 난다.

알렉스가 뒤를 돌아보다가 고꾸라진다.

"에이 씨!" 그가 소리를 지른다.

그 순간 개는 알렉스의 위에 올라타 앞발을 들어서 허벅지를 감싸고 등을 굽히고는 종아리에 대고 교미하는 행동을 한다.

"맙소사, 이것 좀 나한테서 치워줘." 알렉스가 소리친다. 개는 멍청한 표정을 지으며 혀를 내밀고 있지만 더 이상 짖지 않은 채 단지 계속 빠르게 기계적으로 찧는 행동을 한다. 그는 멈춰 서서 안타깝게 친구를 살펴본다. 두 멍청이는 눈물을 흘릴 때까지 웃어 댄다. 둘 중 하나는 너무 웃다가 수레 바닥에서 밖으로 떨어진다.

"자 어때, 떡치는 게 마음에 드냐? 죽이지, 그치?"라고 소리치며 너무 웃어 목이 메인다.

개는 진정하고 물러 달아난다. 소년은 살짝 멀리서 똑같이 멍청한 표정을 지으며 얼빠진 듯 알렉스를 바라보고 혀를 내민 채 빠르게 숨을 헐떡인다. 그가 개에게 돌을 던지자 개는 놀라고 아픈지 깨갱거리며 뛰어 달아난다. 알렉스는 일어나 개와 다른 방향으로 걸어 간다. 추행을 당한 다리가 마치 자기 것이 아닌 냥 끌며 걸어간다.

≈

두 멍청이는 학교 가는 길목에서 종종 그를 기다리곤 한다. 그보다 머리 하나는 더 큰 놈들이지만 나미가 더 빠르기 때문에 대부분은 그들에게서 달아나는 데 성공한다. 그렇지 못한 경우 그들은 그를 붙들어서 한 놈은 붙잡고 다른 한 놈은 사타구니를 만진다. 그리고 나서는 풀어주는데 두 번에 한번은 발로 차기까지 한다.

"변태새끼들!" 그는 그들 뒤에서 소리치고 바지를 턴다.

"개새끼들!"

그가 거울 앞에서 자기 얼굴에 난 첫 수염을 발견한 날, 결심한 듯 할아버지 면도날로 수염을 깎다가 베인다. 그는 시간을 끌다가 학교로 늦게 뛰어간다. 두 명청이를 피해 가기 위해서 주택단지로 돌아갈 시간이 없다. 그들은 두 다리를 벌리고 먼지 날리는 길 한가운데에 서서 주머니에 손을 넣은 채 날카로운 시선으로 기다리고 있다. 학교가 보이기는 하지만 너무나 멀다.

"변태새끼들, 꺼져버려, 난 바빠." 그가 소리치며 그들 사이를 뚫고 지나갈 수 있도록 가속도를 붙인다. 여드름이 발을 걸고 그는 공중을 날아 팔로 떨어지고 팔뚝이 아프게 까진다. 그가 몸을 일으키기도 전에 여드름이 등에 올라탄다.

"내려와, 이 새끼야, 학교 늦는단 말이야."

여드름이 그의 등 위에 누워 흥분해서는 귀에 대고 속삭인다. 그는 뜨거운 숨을 목덜미에 느낀다.

"내려와, 이 변태새끼야, 주둥이에서 악취가 나, 난 토하고 싶지 않다고."

"임마, 오늘 저녁 논스톱으로 와라, 단골 중에서 누가 네 애비인지 알아보자고."

"집어 치워"

"여하튼 니 엄마가 아무하고나 그 짓거리 했다며."

"난 엄마가 없어, 멍청아."

"뭐?"

여드름이 너무 혼란스러워 하며 힘주어 잡고 있던 그를 놓는다.

"무슨 개똥 같은 소리야?"

그는 빠져나와 껑충 뛰어 선다. 여드름은 그 노트의 끈을 잡고 그의 눈 앞에서 노트를 흔든다.

"난 엄마가 없다고, 이 멍청아." 그가 웃으며 반복하고 승리했을 때 느끼는 그런 만족감을 느낀다.

여드름은 믿을 수 없다는 듯 다른 멍청이를 향해 몸을 돌린다.

"쟤는 지가 엄마가 없다고 생각하나 봐, 이해가 되냐?"

멍청이는 킬킬거리며 웃는다.

"이 또라이야, 니가 어떻게 이 세상에 나왔다고 생각하냐?"

"아마도 낙타 똥구멍에서 떨어졌다고 생각하나 보네."

"그래, 아니면 어떤 그지 새끼랑 해서든가."

그는 입을 다물고, 웃지 않는다.

"저 바보는 모르는 모양이네."

"그래, 몰라"

"누군가 말해줘야 하는데."

"변태새끼들."

"니 엄마는 거시기 가진 놈이랑은 전부 다 떡 치는 걸레였다고."

"미친 새끼들."

그는 자기 노트를 낚아채고 여드름은 그걸 놓으며, 끝이 난다. 학교로 가고 문이 닫히는 것을 보지만 서두르지 않는다. 학교 앞의 계단에 앉아 막대기로 계단의 먼지 구덩이를 끄적거린다. 바지의 양쪽 무르팍이 찢어져 있다.

≈

논스톱은 변전소처럼 보이는 콘크리트 건물이다. 벽에는 부서진 두꺼비집이 있고 거기에는 벗겨진 전선이 튀어나와 있다. 네온 사인으로 된 간판의 NONSTOP은 이제 겨우 세 글자만이 빛을 내고 있다. 문은 항상 열려 있는데 그 끝에는 고무로 된 파리 방지용 띠가 걸려있다. 안쪽에는 김빠진 알코올과 자욱한 담배연기를 머금은 축축한 공기를 논스톱으로 느낄 수 있고, 밖에는 수천 톤쯤 되는 소변을 쏟아 부은 듯한 냄새가 난다.

초저녁이 되어 태양이 목마른 대지를 두드리는 걸 멈추고 콜로스 언덕 뒤로 떨어질 때, 말벌이 괴롭히는 걸 멈추었을 무렵, 논스톱 앞에는 술병을 들고 저렴한 담배를 문 사람들이 기어 나오고, 잊어버리고 놓아둔 담뱃불 때문에 구멍이 난 플라스틱 탁자를 차지하고 앉는다.

그는 논스톱에 다니기 시작한다. 메마른 잔디 군락 위에 앉아있곤 했으며 해바라기 씨를 먹으며 껍질을 바람에 대고 뱉는다.

며칠 후에 남자들이 자기들 모임에 불렀고 나이든 카랄이 그에게 독주를 사준다. 그는 그걸 마셔버리고 휘청거리며 횡설수설하다가 맥주 통에 걸려 바닥에 넘어지기까지 해서 남자들을 즐겁게 만든다.

"이렇게 내 낙타들이 죽었지." 카랄이 웃음을 멈추고 한숨을 내쉬며 포진으로 망가진 손을 넓게 펼친다. "바로 이렇게. 낙타들이 풀을 먹었을 때 휘청거리기 시작했고 그러고 땅에 쓰러져 더 이상 일어나질 못했어. 쭉 뻗어서 토하고 고통 속에 신음하는 걸 며칠 동안이나 계속 했지. 난 낙타들의 고통을 줄여 주기 위해서 그들을 베어버려야 했어."

카랄이 말을 멈추고 눈을 비빈다.

"풀이 소금같이 변해있었어." 누군가 이야기한다.

"가축에게는 그게 쥐약이지."

"낙타 오십 마리야, 상상할 수나 있겠어?" 카랄이 다시 시작한다. "딸들을 위한 지참금이었는데 지금은 벌거숭이지."

침묵이 내려앉는다. 남자들은 항구였던 곳을 쳐다보며 자기 술잔을 들이켠다. 어둠 속에서 남자들이 자기 담배를 빨아들일 때처럼 여기 저기 지점에서 불이 밝혀진다.

"생선가공공장은 더 이상 사람을 쓰지 않는다는 군." 애꾸눈의 노인이 말을 한다.

"이 헛똑똑이야, 생선가공공장은 벌써 2년째 사람들을 내보내고 있어. 아마 부화장도 분명 문닫을 거야."

"얘야" 누군가 그에게 말을 건다. 그는 여전히 계속 누워서 불안정하게 흔들거리는 별이 빛나는 밤하늘을 응시하고 있다. "얘야, 청어 매장에 좀 다녀와라!"

그는 네 발로 선자세로 천천히 몸을 일으키고 토하기 시작한다. 토사물이 팔 사이에서 먼지와 함께 흐른다.

"바로 저렇게 내 낙타들이 게워냈었지." 카랄이 소리친다.

"저 애는 누구 집 애야?" 술집 여주인이 밖으로 나와 팔짱을 낀 채 문틀에 기대서서 묻는다. 그녀는 과부의 검은 색 앞치마를 두르고 있고 살찐 얼굴 주변에는 뻣뻣한 흰 머리가 비어져 나와 있다.

"마리나, 술병 좀 가져다 줘." 누군가 부르지만 그녀는 무시한다.

"얘야, 넌 누구네 애니?"

"얘야, 절인 청어 좀 가져와라." 누군가 다시 소리를 지르고 기침을 하기 시작한다.

"어부 페트르가 제 할아버지였어요." 그는 딸꾹질을 하고 입을 닦는다. 정적이 내려 앉는다.

"니가 그 또라이 아들이구나"라고 카랄이 말한다. 그리고는 더 이상 아무도 말을 하지 않고 남자들은 선기침을 하기 시작한다.

"이리 오렴." 여주인이 말을 하며 뚱뚱한 팔을 뻗는다. "안 쪽으로 오렴. 네 할머니가 걱정하시겠다. 자, 여기 자리 잡고 앉아라." 그녀는 힘으로 논스톱 안쪽에 있는 의자에 소년을 앉힌다. 바 뒤에서는 희미한 조명이 비추고 있고, 그 뒤에는 무슨 성인의 그림인지가 빛을 내고 있다. 라디오에서는 조용하게 음악이 흐르고 있고 그 소리가 다시 그의 위장을 출렁이게 한다.

여주인은 물을 잔에 따르고 거기에 소금 한 줌을 넣고 섞는다.

"여기 있다. 이걸 마셔라. 넌 몇 살이냐?"

"열 네 살이요." 그는 거짓말을 한다.

그는 물을 마시고 다시 물을 내뱉는다. "어후, 이건 역겨워요!"

"그냥 마셔둬, 좀 나아질 테니."

그는 잔을 비운다. 최고의 불쾌감을 느끼면서 위장 속의 내용물을 유지하는데 성공한다.

"자, 이젠 집으로 돌아가라, 강아지야. 할머니가 분명 네 걱정을 하실 거다."

"아줌마는 우리 엄마를 알아요?"

여자가 몸을 바로 한다. 남자들이 밖에서 소란을 피운다. 애꾸눈의 노인이 문에 드리워진 고무 띠들 사이에 서서 무슨 일이 있는지 묻는다.

"꼬마야, 내가 너희 엄마를 알았지. 도자기로 만든 듯이 아름다운 소녀였어"

"그 소녀에게 무슨 일이 있었어요?"

여자는 어깨를 으쓱해 보인다.

"아시잖아요!"

"진정해, 그녀에게 무슨 일이 있었는지 난 몰라, 십중팔구 도시로 떠난 거겠지, 뭐 다른 게 있겠어?"

"어떤 도시로요?"

"수도로 갔겠지, 어디 딴 데로 갔겠니? 모두가 거기로 가지. 얘야 넌 니 할아버지랑 생각하는 게 똑 닮았구나."

"그건 아니죠!"

"그래, 여하튼 중요한 건 여기에서 토하지 말라는 거야."

그는 다시 토하기 시작한다. 조심해서 일어나 테이블을 잡는다.

"이름이 어떻게 돼요?"

"얘야, 니 할머니에게 물어봐라."

그는 인상을 찌푸린다.

"하느님의 축복이 있기를." 그녀는 그의 뒤에서 조용하게 말한다. "저렇게 강하고 건강하고 어린 소년인데. 가능할 때 여기서 떠나야 할텐데."

그가 집에 도착했을 때 집은 깜깜하다. 그는 닭장문을 확인하고 구석에서 소변을 보고서 조용하게 집으로 들어간다. 할머니는 긴 무호흡 증상으로 인해 간격을 두고 요란하게 코를 골고 있다.

≈

소련 전투 함대가 만에서 녹슬고 있다. 전함 두 척, 구축함 두 척, 유조선 한 대, 소방구조선과 해양경비대 여러 척, 메마른 진흙 속에 이해할 수 없을 정도로 꼿꼿하게 서 있는 한 척의 소해정을 제외하면 모든 배가 옆으로 누워있다. 마을의 아이들조차도 더 이상 죽어버린 함대에 대해 흥미가 없다. 아이들이 그 사이를 기어 다녔는데, 그래서 뭐 어떻다는 것인가?

6학년 학급은 연례행사로 박물관을 방문하는 길에 그 주변을 지나가지만 난파선들이 있는지 눈치 채지도 못한다. 그건 콜로스 절벽이나 소련 주택단지를 향해 팔을 들어올리고 있는 통치자의 동상처럼 풍경의 일부가 되어버렸다. 박물관도 어느 누구의 관심도 끌지 못한다. 1학년부터 매년 박물관에 다니는데, 사실상 마을의 유일한 랜드마크이다. 물론 서커스의 방문을 계산에 넣지 않았을 때 말이다. 서커스가 언제 올지 추측하기 어려우니까.

옛날에 온 마을 사람들이 전통의상을 입고 만선을 기원하는 축제에 모여 있는 사진과 부드러운 가죽으로 된 전통의상을 입은 추장들의 초상화 사이에서, 수놓은 굴레를 한 그들의 낙타와 빈약하게 솜을 넣은 곰 인형의 틈바구니에서 나미는 친숙한 냄새인 야생 오레가노와 황금 멜론의 가벼운 향을 맡는다. 오늘 리본은 밝은 청록색이고 전통적인 무기, 창, 주목나무로 만든 작살 전시 사이를 항해하며, 팔에 난 포진을 긁으면서 눈으로는 전시물을 살핀다. 그는 뭔가 깊은 번민과 같은, 종마의 가슴 저린 열망과 유사한 고통스런 감정을 느낀다. 소녀가 웃어 보이자 그는 재빠르게 시선을 떨군다. 눈으로 알렉스를 찾는다. 알렉스는 항상 박물관에서 가장 시끌벅적한 곳을 찾아다닌다. 지금 그는 알몸으로 작살을 가지고 물고기를 잡고, 자기들이 잡은 물고기들을 자랑스럽게 보여주고 있는 최초의 여성 어부들의 오래된 사진 옆에 서있다. 할머니는 그가 박물관을 갈 때마다 매번 윙크를 하며 사진을 보고 그 속에서 할머니를 찾아보라고 했다. 그는 그때마다 할머니가 놀리는 것이라고 확신했는데 조각상 같이 예쁘고 어부로서 전도유망한소녀들의 사진 속에 뚱뚱하고 나이든 할머니와 닮은 사람은 없었기 때문이다.

"요즈음은 아무도 이렇게 물고기를 잡지 않죠." 박물관의 여성 안내원이 기계적으로 말한다. "우리에게는 고기 잡는 데 나무 작살보다 더 현대적이고 더 강력한 기술이 있죠. 집합적인 기술! 왜 나무를 사용하는지 혹시 아는 사람 있나요?"

모두가 그걸 알고 있으며 모든 사람들이 그 사실에 대해 어렵사리 침묵하고 있다.

"여하튼 보로스에서 어획량은 최근 50년 동안 오십 배 증가했습니다. 그건 여러분의 할머니들이 잡았던 양보다 오십 배나 더 많은 양의 생선을 잡았다는 것이죠." 안내하는 여자는 기계 장난감처럼 고개를 끄덕이며 피곤한듯 웃는다.

그는 이런 설명보다는 눈으로 소녀를 쫓고 있다. 하지만 벽 옆에서 더 이상 그 소녀가 보이지 않는다. 마치 그의 심장이 순간적으로 멈춰버릴 거 같다는 생각이 들었지만 곧 누군가 결박에서 풀어준 것처럼 그녀가 보이지 않는 게 다행이라고 생각한다.

"밖으로 나가자!" 알렉스가 그를 향해 몸을 돌린다. "거미 다리를 떼거나 뭐 다른 걸 할 수도 있잖아."

"오십 배요." 안내원이 망가진 기계처럼 반복한다.

그는 알렉스와 박물관 건물 밖으로 뛰쳐나온다. 박물관은 창문을 꽃으로 장식한 작은 건물로, 철로신호탑을 연상시키고 정면에는 철자 중 두개가 떨어져 나간 커다란 명판이 있다. 마을에서 몇 안되는 석조건물 중 하나로 종종 누군가 거기에 하얀 페인트를 칠하기도 한다. 그와 알렉스는 창문 사이의 벽에 기대어 서있고 그는 거미를 가지고 노는 것은 집어치우라고 그런 건 애들이나 하는 짓이라고 말을 한다. 알렉스는 생각하며 고개를 끄덕이고는 셔츠 주머니에서 담배를 꺼내 불을 붙인다.

"누구한테서 훔쳤냐?" 그가 놀라며 웃는다. 알레스는 중요한 사람이 된 것인양 담배를 흡입하고 숨을 참고는 기침을 하지 않으려고 노력한다.

"알다시피, 담배 피우는 게 담배 피우는 거지." 그보다 머리 하나는 더 작은 알렉스가 말을 꺼낸다. 그는 아무 말도 하지 않고 손목에 난 포진 부위를 긁는다.

"너 뭐가 태어났는지 들었냐?"

"뭐가 태어났는데?"

"세 손 달린 애를 낳았다는데. 콜호스 대표가. 아니 그 부인이."

그는 알렉스의 윗입술에 엷은 붉은 색 혹이 있는 걸 깨닫는다.

"난 다리 없는 애인 줄 알았는데."

"아냐, 그건 지난 번이고. 너도 피울래?"

"아니."

둘은 멀리 지평선이 닿는 곳에 서 있는, 마치 죽은 나무처럼 보이는 광산 타워 클러스터를 함께 쳐다보고 있다.

"생선가공공장에서 엄마를 내쫓았어." 알렉스가 냉담하게 말을 하고 목구멍 깊은 곳에서부터 끌어낸 침을 자기 앞 멀리까지 뱉는다.

"흠, 뭐 하실 거래?"

알렉스는 어깨를 으쓱해 보이고 아래 입술을 삐죽거린다.

"뭘? 뭔가 찾겠지, 안그래?"

그는 고개를 끄덕인다.

"안으로 들어 갈래?"

"집어 치울래."

"그래, 나도."

그들은 오랫동안 박물관 벽에 기대서서 먼 곳을 보며 침묵한다.

"그 여자애가." 알렉스가 잠시 기침을 한다. "그 여자애가 너 보고 저녁 때 부두로 나오라고 전해 달래. 내가 까먹을 뻔했네."

"어떤 여자애?"

"어떤 여자애겠니, 이 멍청아. 아마 그 여자애 거시기가 근질거리나보네."

"병신."

"그 애랑 하면 좋겠다."

"난 부두에 절대 안 나가."

배들은 현재 원래의 항구로부터 너무나 멀리 정박해 있다. 아이들은 원래 항구와 지금의 물가 사이에 축구 경기장을 만들었다. 경기장은 약간 기울어져 있어서 축구를 하면 공이 호수 쪽으로 굴러간다. 경기장은 먼지가 날리고 종종 누군가 침전물로 생긴 딱딱한 층 속에 발이 빠지기도 한다. 콘크리트 방파제는 약간 썩은 해초로 덮여 있고 딱딱해진 모래와 진흙이 아무렇게나 튀어나와 있으며 묶여 있는 금속의 고리 밑에는 쓰레기들이 뒹굴고 있다. 어선 자체에 직접 연결된 유일한 방파제는 나무로 된 것이다. 어부들이 반 년 동안 호수까지 방파제를 연장시키고 있다. 직접 나프타용기와 어획물이 담긴 바구니를 들고 마른 바닥을 따라 걸어 다니거나 배를 묶는 수고를 덜기 위해서 말이다. 딱딱한 바닥 여기 저기에 작은 바지선들이 흩어져 있고 그들의 시들어가는 선체는 매일 태양 아래에서 눈에 띄게 무너져 가고 있다.

그는 소련인들이 여러 해 전에 행성간 방송을 시도하려고 안테나를 세웠던 언덕의 콘크리트 방파제 위의 마른 풀밭에 누워있다. 당시에는 다른 행성으로 간다는 것이 너무나 확실해 보여서, 금방 외계인들과 친해질 거라고 생각했다. 나미는 그걸 학교에서 배웠지만 점차 선생님이 여기에 대해 언급하는 수가 줄었다. 콘크리트 받침대에는 외음부의 상징이 알아보기 좋게 그려져 있고, 거대한 위성 접시는 시들어가는 해바라기처럼 매년마다 점점 더 지상에 가깝게 스러지고 있다. 접시 뒷면의 늑골에서부터 검붉은 칠이 긴 띠처럼 벗겨져 있다. 그는 독초의 줄기를 입에 물고 비튼다. 태양은 지평선 낮은 곳에 한 채 긴 그림자를 드리운다. 공기는 얼굴을 덮고 콧구멍과 폐를 채우는 먼지로 가득하다. 더러운 떠돌이 개가 수풀 사이에서 기어 나와 그로부터 멀지 않은 곳에 드러눕는다. 그는 돌멩이로 개를 쫓아버리고 개는 뛰어 달아나 조금 더 먼 곳에 자리를 잡는다.

그는 자기 손이 꾀죄죄하다는 생각이 들었고 손톱의 때를 청소하기 시작한다. 시내 쪽으로 고개를 돌렸을 때 길에 그 소녀가 보인다. 그녀 주변에는 먼지로 된 황금 후광이 떠오르고, 그래서인지 그녀가 약간 유령처럼 보이기도 한다. 그는 호수에서 수영한 후에 배가 아픈 것처럼 지금 위장이 긴장하는 걸 느낀다. 소녀는 살짝 쳐다보며 수줍게 손을 들어올려 인사를 한다. 그는 고개를 끄덕인다. 소녀는 꽤 능숙하게 콘크리트 벽 위에서 균형을 잡고 그 위에서 흔들거린다. 그녀는 마른 풀을 지나 그 쪽으로 오고 그녀의 슬리퍼가 먼지 속에서 미끄러진다. 그녀가 그의 옆에 앉는다.

"옷 더러워져."

소녀가 손을 내젓는다.

"여기에 하얀 옷을 입고 올 생각을 하다니"라고 그는 말하며 속으로는 기절할 것 같다는 생각을 한다. 그가 기침을 하며, "여기 먼지 때문에"라고 설명한다.

소녀는 개에게 입으로 오라는 신호를 하고 개는 마른 풀을 지나 그들에게 다가오기 시작한다.

"안됐다. 봐봐, 혼자잖아."

소녀가 방향을 돌려 서쪽으로 앉는다. 그녀의 목과 손에 미세한 털이 나있는데 태양 빛을 받아 황금색으로 물들어 보인다. 그는 엎드린다.

소녀가 헛기침을 한다. "흠, 에헴, 흠, 난 자자야."

"나미야."

"나도 알아."

"정말?"

"무슨 소리야. 모두가 너를 알건만."

"어떻게 모두가?"

"너 농담하는 거지?"라고 자자가 말을 하며 약간 놀란 표정을 짓는다.

"아무 것도 아니다. 난 그저, 그때 정거장에서 너의 표정이… 아냐, 상관없어!" 그가 손을 내젓는다. 씹었던 풀줄기를 뱉고는 다른 풀을 뜯는다. 그는 자신의 손가락이 떨리는 게 보이지 않길 바란다.

"예쁜 포진이네." 그가 무심하게 말을 건넨다.

"무슨 뜻이야?" 자자가 인상을 쓴다.

"다른 사람들은 완전 빨갛고 부풀어 올라 있는데, 네 건 뭐랄까… 쉽게 말해 장미 빛이고 귀엽다는 말이지."

"아하."

"나쁘게 생각한 건 아니야."

"기름으로 문지르거든. 하지만 그렇게 도움이 되지는 않아."

"다들 세 손 달린 아이가 태어났다고 난리던데."

"응, 그래, 머리 둘 달린 양은 계속 태어나고 있어. 그런데 세 손 달린 아이? 아직 그런 경우는 없었는데."

자자가 한숨을 크게 내쉰다. "학교를 다 마치면 여기서 떠나고 싶어."

그는 고개를 끄덕인다. "그럼 우리 함께 가면 되겠네."

자자가 미소 지으며 고개를 끄덕인다.

"그럼 난 내일 다시 올게, 응?

"응."

그는 석양과 함께 떠나는 소녀의 뒷모습을 바라보는데 순간 마음 속에서 기쁨의 분수가 용솟음 친다. 먼 곳의 드라이독 뒤편으로 한 집 옆에 잠수복을 입고 남자들이 뒤죽박죽 모여 있는 모습이 보인다. 그들은 마치 정원을 따라 춤을 추는 동작을 하듯 움직이고 있다. 그는 고개를 돌린다. 파라볼라 안테나의 부식된 구조물에서 튀어나온 전선이 바람에 딸그락거리고 그 소리가 마치 외계인이 마침내 뭔가 신호를 보내는 것처럼 들린다. 그는 두드리는 리듬에 집중해보지만 해독하는 것은 실패한다. 발기가 계속된다.

알렉스가 소련인들로부터 받은 컬러로 된 카탈로그에서 찢어낸 종이 몇 장을 들고 왔다. 거기에는 속옷 차림의 여자들이 웃으면서 렌즈를 응시하며 입술을 오므리고 있다. 그는 그걸 전에 군용 가지크에서 발견했던 스턴건 탄약 상자와 바꾼다. 뒷간에는 거미줄과 오래된 신문이 가득하다. 그는 안쪽의 더러운 벽에 기대어 자자를 생각하면서 한 손에는 속옷 차림의 오동통한 소련 여자 사진을 들고 다른 한손으로는 자위를 한다. 그 와중에 밖에서 날카롭게 소리 지르는 게 들린다.

"안 보이세요?" 할머니가 빵집여자와 함께 강낭콩을 까다가 광주리를 손등으로 치자 보라색 강낭콩이 알록달록한 리놀륨으로 덮여 있는 테이블 위로 굴러간다.

"쉿!" 할머니가 말을 하며 놀라서 두리번거린다. "아직은 보여. 그물 고치고 애 돌보는 데는 문제없어. 조용히 해, 너 다리 저는 거 내가 아니까."

빵집 여자는 인상을 쓰고 언짢아 하며 앞치마 안에서 콩을 까다가 결국 말을 쏟아낸다. "두더지처럼 눈은 멀어가지고!"

"한 마디만 더 해봐라, 그럼 내가 널 내 스카프로 목을 졸라버릴 테니까, 이년아"라며 할머니가 씩씩거린다. 하얗게 센 머리가 흐트러진 빵집여자는 울상을 한 채 완강하게 계속 콩을 깐다. 잠시 후에는 울음을 터뜨리며 자리에서 일어나 자기가 깐 걸 앞치마에 쏟고는 말없이 떠나버린다. 그날 저녁 할머니는 집에 있는 포치의 유일한 턱에 발이 걸려 넘어져 넓적다리가 부러진다. 고통으로 눈물을 흘리며 조용하게 저주를 내뱉는다. 그녀는 침대로 기어가고 그는 그런 할머니를 발견한다.

"의사를 불러올 게." 나미가 말하며 문으로 뛰어가지만 할머니는 그러면 다리몽둥이를 부러뜨리겠다고 소리친다. 그는 결정을 못하고 포치 위에 주저앉는다. 할머니가 더 악화될까 봐 그녀의 곁을 떠나는 게 두렵다. 그렇다고 안으로 들어가는 것도 할머니가 욕을 하면서 고통으로 신음을 하니까 겁난다. 그는 맨발의 발가락 사이에 부드러운 먼지를 쌓아 올리고 그 위에 풀줄기를 꽂는다. 바람이 일기 시작한다. 그는 밤이 될 때까지 포치에 앉아 있다가 조용하게 집으로 기어들어간다.

"얘야, 마실 것 좀 다오." 할머니가 속삭이고, 그는 추위가 엄습해 오는 거 같다. 할머니는 무덤에서 나온 사람처럼 말을 하는데, 어찌 보면 진짜 그렇게 보이기도 한다. 어둠 속에서도 할머니의 이마에 땀방울이 빛나는 게 보인다. 그는 물통에서 국자로 물을 떠서 할머니에게 따라주고 그녀는 그걸 벌컥벌컥 마신다. 질병과 노쇠함이 느껴진다. 그는 이가 덜덜 떨린다. 밤새 할머니의 침대 옆 바닥에 앉아 자다깨다를 반복한다. 할머니가 신음을 할 때나 지나치게 너무 오래 조용할 때도 깨어난다. 아침이 다 되어서야 잠이 들었고 남자들의 시끄러운 목소리와 곧이어 문을 두드리는 소리에 잠에서 깨어난다.

네 명의 남자들이 들어온다. 지역 의사, 콜호스 대표, 교장, 네번째 남자는 머리에 전통적인 주술사의 머리띠를 하고 있지만 아무도 그에 대해 말을 하지도 그를 돌아 보지도 않는다. 빵집 여자는 문가에 서있고 흥분해서 숨조차 쉬지 않는다.

"우리 강아지야, 무슨 일이 있냐?" 할머니가 침대에서 신음한다. 그녀의 눈이 열감으로 빛이 난다.

"아주머니, 무슨 일로 아직도 안 일어났습니까? 누워있기로 작정한 거요?" 콜호스 대표가 농담을 한다. 그는 떡 벌어진 어깨와 볼록한 배와 납작한 엉덩이를 하고 있다.

"내가 아무래도 늦잠을 잤나 보네." 할머니가 답을 하는데 거친 쇳소리가 난다.

"아주머니, 한 번 봅시다." 의사는 완고한 목소리로 말을 하고는 할머니의 이불을 젖힌다. 의사는 이불 밑에서 올라오는 질병과 땀으로 인해 생긴 악취 때문에 고개를 돌린다. 하지만 곧 착한 사마리아인의 표정을 지으며 그녀에게 몸을 숙인다. 의사는 할머니의 눈과 목을 들여다보고 맥박과 체온을 잰다. 그가 다친 곳을 만질 때 할머니는 용감하게 그냥 쉭쉭거리는 소리만 낸다. 주술사의 머리띠를 한 남자는 계속해서 의사의 등 뒤쪽에 서있다.

"아주머니, 연세가 어떻게 되세요?" 콜호스 대표가 명랑하게 묻는다.

"오십 너이야"라고 할머니가 속삭인다.

"아니 아니지!" 빵집 여자가 문간에서 소리친다.

"그건 벌써 오래 전이지! 거짓말쟁이!"

의사는 콜호스 대표에게 비밀스럽게 눈을 끔뻑이고는 고개를 끄덕인다.

모두가 포치 쪽으로 나가고 단지 주술사의 머리띠를 한 남자만이 침대 머리 곁에 머무른다. 그는 조용하게 침대에 앉아서 할머니의 뜨거운 손을 잡고 있다. 마치 예전에 그가 새를 잡았을 때 그 새의 작은 심장이 두근두근 뛰었을 때와 똑같다.

"할머니, 무슨 일이야?" 그가 속삭인다.

할머니는 가쁘게 숨을 쉬며 대답하지 못한다.

"할머니?"

"날 여기서부터 데리고 나가거라, 빨리"하고 할머니가 속삭인다.

"뭐? 어디로 데려가라는 말이야? 어떻게?"

불분명한 그르렁 소리가 울려 퍼진다. 머리띠를 두른 남자는 한쪽 다리를 구르고 다른 쪽 다리를 구르고 한 팔을 들어 머리 위에서 뭔가 뜯어먹은 뼈처럼 보이는 것을 흔들며 노래한다.

"할머니, 왜 그래?"

할머니는 아무 이유없이 갑자기 암컷 늑대가 울부짖듯 신음을 하기 시작하고 주술사의 노래는 점점 더 강해진다. 나미는 불협화음이 나는 광경 앞에서 귀를 막고 앞뒤로 흔들기 시작한다. 잠시 후에도 고성의 울부짖음이 멈추지 않자 일어나서 밖으로 뛰쳐나간다. 포치에서 빵집 여자와 부딪히고 그 여자는 비틀거리며 철제 난간에 부딪혀 심하게 신음 소리를 낸다. 그는 정원으로 달려나가고 나프타 냄새가 나는 연장을 두는 창고로 들어가 심호흡을 하며 스물까지 센다. 그리고 나서 할아버지의 망치를 집어 들고 운동을 하듯 여러 물건을 때려 부수기 시작한다. 대패, 나무로 된 쐐기, 콩 심을 때 쓰는 지지대 등.

어제 점심 때 할머니와 포치에 앉아서 함께 멜론을 먹었다. 멜론 즙이 턱을 따라 흘렀고 할머니는 배가 금방 부푸는 것을 보고 웃다가 의자에서 넘어질 뻔했다. 웃어서 흐른 눈물을 검은 앞치마 단으로 닦아내며 다른 손으로는 벌을 쫓았다. 지금은 그들의 포치에 사람들이 모여 있고 거기에는 이웃들과 처음보는 사람들도 있다. 남자들은 입을 다물고 있고 여자들은 거슬리는 목소리로 수다를 떨고 있으며 아이들은 담쟁이 덩굴이 있는 울타리에 매달려 있다.

그가 입을 악다문 채 무거운 망치를 가지고 포치로 돌아오자 모두들 조용해진다.

할머니의 침대 곁에는 다시 의사가 서있고 그녀의 손을 잡고 있다. 그녀에게 뭔가를 조용하게 이야기한다.

"의사선생님, 뭐죠?" 그가 조용히 묻는다. "무슨 일이 벌어지고 있는 거죠? 왜 여기 이렇게 사람들이 모여 있나요? 할머니는 그냥 다리가 부러진 거잖아요."

"그렇긴 하지."

"나도 다리가 부러진 적이 있었어요."

"그때 넌 몇 살이었니?" 의사가 웃는다.

"모르겠어요. 여섯 살쯤."

"그것 봐라."

의사는 보이지 않게 한숨을 내쉬고는 머리를 내저었다. 할머니는 눈을 감은 채 누워 있고 숨을 가쁘게 쉬며 그의 간절한 부름에 반응하지 않는다.

"당신들 할머니를 호수로 보내고 싶은 건 아니겠죠, 아니죠?" 그는 악을 쓰며 말한다. "아직 안돼요! 아직도 건강한 걸요! 할머니!"

구급대원이 가져온 철재 들것이 문틀에 부딪힌다. 사람들은 마치 최고 권위에 있는 사람이 도착한 것처럼 그 구급대원 앞에서 물러난다. 군중은 순차적으로 조용해진다.

"할머니께 진정제를 놔 드렸다. 너는 우리가 무슨 짐승이라도 된다고 생각하는 거냐?" 의사가 그에게 화를 낸다.

"자 이젠 물러나거라."

그는 의사 쪽으로 걸음을 옮기고 망치를 높게 치켜든다. 의사는 차갑게 훑어본다.

"자, 뭘 하려고?"

그는 의사를 뚫어져라 쳐다보고, 잠시 후턱이 떨리면서 망치를 든 손을 내린다. 의사는 그를 밀쳐내고 구급대원은 할머니를 거칠게 이동용 들것에 옮긴다. 할머니는 신음을 한다. 구급대원이 들것과 함께 밖으로 나왔을 때 무리의 사람들은 다시 정중하게 물러나기 시작한다.

바람이 인다. 방파제는 주민 수백 명의 무게로 인해 갈라지고 이들 중 몇 명은 이미 메마른 바닥으로 떨어졌다. 여자들은 꽃을 들고 있고 남자들은 엄숙하게 이곳의 하늘과 호수를 바라보고 있다. 모두가 어떤 신호를 기다리고 있다. 노가 없는 나룻배는 색색의 끈으로 장식되어 있고 물결이 배를 일렁이게 하자 나룻배는 고기잡이 배와 부딪친다. 할머니는 그 나룻배 안에 누워있고 이마에 송골송골 땀이 맺어 있으며 눈은 푸른 끈으로 묶여 있다. 그는 가슴에 놓여 있는 할머니의 손이 떨리는 걸 알아차렸다.

그순간 대표가 고개를 끄덕이고 주술사는 침울하게 중얼거린다. 여자들이 합세하여 더 높은 톤으로 그의 소리에 더한다. 동시에 할머니에게 꽃을 던진다. 그들의 눈이 빛난다. 이 계절에 대부분의 꽃은 이미 져버려서 갈색의 얼룩이 있거나 마른 것들 뿐이라 전체적으로 슬퍼 보인다. 예인선이 엔진을 가동한다.

그는 입을 다문 채 가장 가까이 서 있는 사람들 사이를 헤집고 나아가 나룻배에 뛰어든다. 배가 심하게 흔들린다. 남자가 소리치기 시작한다. 그는 몸을 숙여 할머니가 들을 수 있도록 소리친다. 모터의 진동과 거칠게 부는 바람 소리가 너무나 크다.

"할머니, 이걸 어떻게 멈춰야 하지? 내가 할머니랑 함께 배로 갈게, 좋지?"

할머니는 그의 손을 더듬거리고는 손에 입을 맞춘다.

"우리 강아지, 네가 이걸 멈출 수는 없단다. 모든 것은 정령이 화를 내지 않도록 그렇게 해야만 하는 거란다. 왜냐하면 그가 계속 화를 내고 있으니까 말이야."

"할머니."

"우리 강아지."

"난 어쩌라고?"

"넌 잘해낼 거야."

"아파?"

"아이고."

"내가 할머니 주려고 약주를 가져왔어." 그는 밀주 반 병을 할머니의 손에 대주고는 그녀의 이마에 입을 맞춘다.

"고맙구나, 우리 강아지, 고마워."

할머니는 눈물이 왈칵 쏟아진다.

"나미야, 이제 가려무나."

그는 나룻배에서 뛰어내려 가시가 있는 장미의 암적색 꽃들 사이를 헤엄쳐 기슭으로 향한다. 얼굴을 할퀴어서 입은 피로 범벅이다. 간신히 헤엄쳐 물밖으로 나와 자리를 뜬다. 예인선이 떠나고 장식된 나룻배는 그 뒤를 따라 디젤 엔진의 구름 속으로 사라진다. 나룻배는 마지못한 듯 예인선의 뒤를 따르고 물결을 따라 흔들린다. 마치 배를 뒤집으려는 듯이. 예인선은 한 200미터쯤 배를 끌고 갔을 때 연결고리를 풀고 기슭으로 돌아온다. 나룻배는 천천히 수평선 방향으로 멀어져 간다. 부둣가의 남자들은 호수의 정령에게 밀주를 분고는 말없이 자리를 뜬다. 그는 화가난 채로 나룻배를 쳐다보지 않는다. 할머니가 떠나기 전에 뭔가 중요한 것에 대해 말을 했어야 했다는 생각이 든다. 그는 닭장에 남아있는 세 마리의 암탉 중 하나의 목을 딴다.

≈

그는 거칠고 힘겨운 꿈을 꾼다. 아래 층의 문 닫히는 소리에 잠에서 깨어 벌떡 뛰어 일어난다. 심장이 가슴에서 뛰쳐나가려고 애를 쓴다. 어디지? 무슨 계절인 거야? 할머니는 어디에 어디 있어? 왜 부엌에서 신선한 튀긴 도넛 향이 나질 않는 거지?

그는 손바닥으로 머리를 감싼 채 침대에 앉아 있고 조금씩 진정되기 시작한다. 느릿느릿 아래층으로 내려가면서 자신이 얼마나 땀을 흘렸는지 알아차렸다. 자기한테서 땀냄새가 진동한다. 부엌 중앙에 깡마른 대표 부인이 팔에 아이를 안고 서있다. 그녀 주변에는 옷더미와 몇 개의 종이 상자들이 놓여있다.

"안녕" 그에게 수줍게 머리를 끄덕인다.

"이젠 우리랑 함께 살게 될 거다." 그녀 뒤에서 대표의 우레와 같은 풍채가 고함을 치자 아이가 울음을 터뜨린다.

"요놈, 그쳐, 아니면 호수에 빠뜨려 버린다!" 대표는 웃으면서 옷더미를 위층으로 나르기 시작한다.

여자는 차를 준비한다. 대표가 돌아와서는 어렵사리 테이블에 앉고 목이 긴 고무장화를 신은 다리를 의자에 올려놓는다. 차를 마시고는 불만족스럽게 머리를 흔든다. "너네 정원은 멋진 아수라장이던 걸. 너 그걸 정상적으로 보이게 하려면 엄청 뻥이쳐야겠어. 너네 할머니가 널 너무 오래 보듬었지, 어찌 생각해?"

나미는 침묵하고 그의 이마에는 힘줄이 튀어 오른다. 아이가 다시 울음을 터뜨린다.

≈

그는 처음으로 아이가 벗은 모습을 보았을 때 소리를 지를 뻔했다. 아이는 가슴 한복판에 세 번째 손이 있다. 단지 손목과 손바닥이 있는 그 손은 양쪽의 정상적인 팔들과 다르게 조화롭지 못하게 움직이고 거기에 붙은 작은 손가락은 깡통의 지렁이처럼 꼬물거린다. 아이를 자기 무릎에 앉히고 흔들어주고 위로 던지기도 한다. 그러면 아이는 즐거워서 소리친다. 그가 세번째 손을 흔들면 둘은 깔깔거릴 수 있다. 지금 애기는 침대에서 엄마와 잠들어 있고 할머니 침대가 놓여있던 부엌의 바닥에서 잠을 잔다. 지금은 이곳을 할머니처럼 비슷하게 큰소리로 코를 고는 대표가 차지하고 있다. 적어도 이게 그한테는 밤에 안전한 느낌을 준다.

그는 정원을 삽으로 파고, 그 삽질과 곡괭이질 때문에 며칠 후에는 굳은 살이 박인다. 어떤 때는 정원 일 때문에 학교에 갈 수 없었던 적도 있었는데 상관없었다. 대표의 부인은 착한 사람이었고 "안녕"과 "잘자렴"이라고 나미에게 말하고 종종 사각형으로 된 머릿수건 밑에서 눈을 깜박거린다. 그녀는 깡말랐고 못생겼지만 노래를 예쁘게 한다. 아이에게 노래를 불러줄 때면 그는 근처에 앉아서 듣곤 한다. 할머니처럼 요리를 잘하지는 못하지만 적어도 그를 굶기지는 않는다. 대표가 염소 두 마리를 끌고 왔고 그래서 나미는 저녁 때 신선한 우유를 마신다. 물론 현실에서는 그가 젖을 짜야 하고 종종 염소들을 부엌에서 내쫓아야 했지만 말이다. 염소들이 테이블에 올라가는 데 성공할 때마다 그에게 승리에 찬 울음소리를 냈다. 그 장소는 그후로 오랫동안 염소 냄새가 풍겼다.

해질 무렵 그는 슬그머니 빠져나가며 호숫가에 떠다니는 나무를 주으러 간다고 말한다. 그리고 나서는 자자와 함께 말라버린 바닥을 따라 걸어 다니고 종종 마른 가지나 판자 조각을 줍거나 어떤 때는 고무로 된 신을 찾다가 금메달을 줍기까지 한다. 그건 그저 모조품이었지만 아무도 그걸 몰랐고 그래서 자자는 그걸 목에 걸고 다닌다. 남들이 보지않을 때에는 둘이 손을 잡지만 서로의 눈을 보는 것은 주저한다. 아침에 학교 가는 길에 만나면 그들은 서로 스쳐 지나가면서 양쪽 모두 시선을 떨군다.

지금은 알렉스와 자주 만나지 않는다. 왜냐하면 알렉스가 점점 더 멍청해 보이기 때문이다.

≈

"어디 갔었니?"

그는 침묵한다. 반항하는 건 아니지만 대표는 그걸 알아차리지 못한다.

"어디 갔었냐고 물었다."

그는 관목 숲 사이 숨겨진 숲 속의 빈터에 대해 생각하고 있다. 그곳에서 온갖 용기를 끌어 모아 자자의 가슴을 만지겠다고 결심했다. 그는 갑자기 아무렇지도 않은 듯 뒤쪽에서 그녀에게 다가가 오른 손으로 그녀의 오른 쪽 가슴을 꽉 잡았다. 자자는 아직 풍만하지 않지만 상관없었다. 그녀는 굳어졌고 잠시 동안 침묵하기도 했지만 그를 밀치지 않고 그의 손바닥에 젖가슴을 놔두었다. 그러고는 잠시 후 기침을 하며 말을 이었다. "… 그 여자는 헤진 짚신처럼 되서는 수도에서 돌아왔어 …" 그러자 그의 손바닥에서 그녀의 심장이 미친듯이 달아나려는 느낌을 받았고 나미는 순간 행복해졌다.

"기슭에요. 나무 주으러. 어디겠어요?"

따귀 한 대.

"그런데 아무 것도 가져오지 않았잖아!"

"벌써 다 걷어 갔더라고요."

두 번째 따귀.

"날 바보로 만들 생각하면 안되지. 어디 있었냐?"

그는 공격적으로 턱을 들어올린다.

"내 일입니다."

"어디 있었냐? 마지막으로 묻는다."

"개똥 같은 소리."

그는 그가 주먹으로 배를 때릴 거라고는 예상 못하고 그 충격으로 허리를 구부린다.

"어디 갔었냐?"

"당신은 나쁜 사람이야." 그가 씩씩거린다. "그래서 정령이 당신한테 병신을 보낸 거고."

대표가 주먹으로 어깨를 가격하자 그는 바닥에 넘어진다. 그리고서 잘 연습된 듯한 동작 한 번으로 바지에서 허리띠를 빼내서는 나미를 때린다.

"은혜도 모르는 상놈의 새끼! 모든 불행의 원인이 너야, 니가 나를 가르치려고 들어? 이거나 먹어라, 드러운 놈, 내가 피를 삼키게 해주겠다."

그는 진짜로 입속에서 피가 쏟아지는 걸 느낀다. 아드레날린이 고통을 느끼는 걸 방해하고 있지만 잠시 뒤에는 엄청나게 아플 거라는 걸 알고 있다. 혀로 상처 난 앞니를 확인한다. 대표의 부인은 문간에 서서 우는 아이를 품에 안고 있다.

"여보." 여자가 너그럽게 말을 한다. 보레크는 벨트를 내려 놓는다. 그는 완전히 땀에 젖었고 숨을 헐떡이며 눈을 끔뻑인다. 땀으로 독한 냄새가 난다.

"자, 어디 갔었냐?"

그는 등을 대고 누워서 숨을 가쁘게 쉬면서 양 손을 가슴에 올린다.

"대표님, 당신 똥냄새가 나. 똥 밟았나 보네."

대표는 믿을 수 없다는 듯 그를 쳐다보고는 힘겨운 발차기 한 방을 그의 가슴에 날린다.

"니 어미에게 올라탔던 그 개자식처럼 너도 똑 같은 쓰레기야."

대표는 집 밖으로 나가면서 무자비하게 부인을 밀친다. 그는 일어나고 싶지만 몸이 너무나도 아프다.

"노래 좀 불러줘요"라고 여자에게 나지막하게 말한다. 여자는 돌아서서 나가버린다.

그는 바닥에 누워서 갈라진 틈을 통해 가을 바람이 살금살금 기어 들어오는 것을 느낀다. 상처에 재를 뿌리는 것처럼 벨트로 맞은 상처가 얼얼하다. 밤에 대표는 그를 닭장에 가둔다. 닭장은 어둡고 춥고 냄새가 고약하다. 나미는 추위와 분노로 벌벌 떤다. 암탉은 쉬지 않고 꼬꼬댁거린다.

≈

아침에는 집으로 돌아갈 수 있다. 그는 완전히 굳어져서 말조차 할 수 없다. 대표의 부인이 그에게 귀리 죽을 주고 싶어 하지만 대표가 그녀를 막는다.

"지금부터 그 놈은 흑빵만 먹게 될 거야. 예의 바른 행동을 배워야겠지."

빵은 딱딱하지만 그는 감사한 마음으로 이빨 사이에서 마른 빵 껍질을 씹는다.

"그럼요, 배우게 될 거예요, 그렇지?"

그는 침묵하며 고개를 끄덕인다. 그의 팔은 통제할 수 없이 떨린다. 창틀이 흔들리고 멀지 않은 어디선가 군사 장비 운송차량이 지나간다.

그는 일주일을 버티며 굳은 살에서 피가 날 때까지 자류지를 판다. 세 팔 아이와 놀아주며 자자에 대한 열망을 꿈꾼다. 대표가 나가면 그의 부인은 종종 고기조각이나 도넛을 넣어준다. 그녀는 아무 말도 하지 않고 그는 말없이 그걸 받는다.

하루는 그가 렌즈콩 스프를 먹는 것을 대표가 보게 된다. 대표는 그가 앉은 의자를 발로 차버려서 접시에 이빨을 부딪힌다.

"배은망덕한 못난 년 같으니!" 대표는 이를 갈며 소리를 지르고 부인의 얼굴을 세차게 때린다. 얼마나 세게 때렸는지 그녀는 나가떨어진다. 여자는 얼굴을 부여잡고 말없이 엉덩이로 구석까지 기어간다.

"너랑 니 괴물을 누가 먹여 살리는지 따져봐," 대표가 계속 말을 잇는다. "사람이 은혜를 베풀면 등을 돌리고 칼을 품지."

"미안해요, 여보."

대표는 넓은 아량으로 짧게 고개를 끄덕인다.

"닭장으로 가," 그에게 말한다. "너는 한 번 가르치는 걸로 충분하지가 않지."

그는 지금 계속해서 닭장에 갇혀 있다. 물은 두 마리 암탉과 나누고 부엌에서 남은 음식을 먹는다. 학교는 다니지 않고 벽에 등을 기대고 암탉의 냄새에 익숙해져 가며 천장의 판자에 난 구멍으로 밖을 쳐다본다. 암탉 모두 처음에는 약간 불안해했지만 며칠이 지나자 그에게 익숙해진다. 하루는 담임선생님의 하이 톤 목소리가 들려오고, 여선생님이 그에 대해 묻는다. 대표는 그 망나니가 어디로 도망쳤는지 모르고 아마도 어머니에게 갔을 거라고 즐겁게 대답한다. 여선생님은 킬킬거리며 대표에게 그가 돌아오면 바로 학교로 보내도록 말을 한다. 그는 가장 영리한 학생이고 그가 없으니 교실이 도덕적으로 흔들린다고 말을 한다. 대표는 놀라며 여선생님이 혼동한 게 아닌지 묻는다. 그녀는 다시 즐겁게 낄낄거리는데 그는 지금 대표가 마을의 모든 여자에게 그러듯이 그녀의 엉덩이에 손을 댄 걸 알고 있다.

그는 항상 저녁에 닭장 문의 경첩을 떼어내고 밖으로 도망 나와 부두 위에서 자자와 만나곤 한다. 열정적인 손길이 오가는 시간은 날이 갈수록 짧아진다. 자자가 해가 지기 전에 집에 가야 했기 때문이다. 그는 고통스러운 열망에 사로잡히고, 자자의 멜론 향이 나는 자신의 팔에 코를 대고 냄새를 맡고, 어둠이 내리면 광에 들어가 닥치는 대로 먹어 치운다. 하루는 그가 도둑질을 하고 있을 때 대표의 부인에게 들킨다. 그는 입에 가득 음식물을 넣고 급하게 씹고 있다. 여자는 말없이 그를 지켜보며 팔짱을 끼고 있다. 그가 그녀를 발견하자 검지를 입에 대고 여자는 고개를 끄덕인다. 그가 충분하게 먹도록 놔두고 조용히 지켜보다가 그가 나가도록 두고는 그의 뒤에서

광을 잠근다. 그가 그녀를 지나쳐 지나가자 그녀는 그의 어깨를 어루만진다. 그의 머리를 쓰다듬으려고 애쓰지만 그는 이미 너무 커서 머리가 손에 닿지 않는다. 그리고는 호주머니에서 셀로판 종이에 쌓여 있는, 달군 설탕으로 만들고 제비꽃향의 맛이 나게 분명한 수탉 모양의 막대사탕을 꺼낸다. 그는 고개를 젓는다. 대표 부인은 미소를 잃지 않으면서 막대사탕을 도로 주머니에 넣는다. 내일 그걸 세 손 아이에게 줄 것이다.

≈

콜호스 대표가 쟁기질과 가을 파종 감독을 위해 집을 나가자 그는 닭장에서 기어나와 햇볕에 앉아있다. 그는 주택단지에서 기술자들이 가족과 함께 떠나가는 모습에 주목한다. 그들은 지프와 군용 트럭에 짐과 가방과 자작나무 그림들을 싣고는 돌아보지도 않고 도로의 먼지 속으로 사라진다. 그의 동급생들과 자자가 학교 가는 모습을 보자 그의 위장이 약간 쪼여 드는 느낌을 받는다. 날은 차가워지고 낮은 짧아지는데, 닭장 안은 밤에 추위가 기승을 부린다.

곧 자자와 함께 만나는 걸 아예 멈추게 될 게 분명하다. 왜냐하면 석양이 계속해서 학교가 끝나는 시간과 가까워지기 때문이다. 매번 그녀를 열정적으로 끌어안고 그녀는 거의 쉼없이 뭔가를 이야기하면서 치마를 문지르거나 흘러내린 머리카락을 귀 뒤로 넘기곤 한다. 그녀는 뭔가 몽환적인 것이 있다. 그는 그녀의 눈에, 귀에, 목에 입을 맞추고 그 긴장감이 풀어지지 않아 그의 팔다리는 뻣뻣하다. 자자를 행성용 송신기의 받침대 쪽으로 기대게 하고는 그녀의 허벅지를 더듬는다. 그녀는 치마를 살짝 들어올리면서도 학교에 다니는 어린 애들이 주택단지의 버려진 집에 들어가보는 모험에 대해 말하는 것을 멈추지 않는다. 그 집들은 세를 사는 사람들이 거기로 이사를 왔을 때 이미 망가진 상태였는데 지금은 창문에 깨진 유리 대신 신문지가 발라져 있다.

나미의 얼굴이 자자의 자그마한 목선에 깊숙이 묻혀 있다. 자자가 부끄러운 듯 페니스를 애무하자 그는 버티지 못할 것 같은, 숨이 막히고 질식할 것 같은 느낌이 들고 그건 견뎌낼 수 있는 게 아니었다. 그가 숨을 쉬고 진정하기 위해 결국 고개를 들었을 때, 아직 현기증이 남아있는 와중에 소총을 멘 두 명의 소련 군인을 보게 된다. 한 명은 작고 까무잡잡하고 다른 한 명은 몸집이 좋은 금발인데 오른손 엄지의 손톱을 깨물고 있다. 자자는 쉿 하는 소리를 내고는 잠시 숨을 멈춘다. 이게 바로 모든 정상적인 어머니가 딸에게 잠자기 전에 주의를 주는 바로 그런 경우이다. 무엇보다 그 소련 군인들을 조심해야 해. 얘야, 그들은 해뜰 때부터 해질 때까지 껄떡거리는 인간들이야. 어딘가 외진 곳에서 그들을 만난다면 거기서 정상적으로 벗어나기는 어렵다는 걸 명심해야 해.

"나미야."

그녀는 나지막이 말한다.

작고 까무잡잡한 녀석이 자자가 치마를 들어올리도록 손짓한다.

간단하게도, 단박에 모든 게 분명해진다.

"나미야."

그는 서서 턱을 강하게 앙다물고 주먹을 꽉 쥔다.

"이리와, 집에 가자." 그가 말하면서 그녀의 손을 잡고 둘은 집으로 가는 방향으로 몸을 돌린다. 그렇게 그들은 군인들에게 등을 보인다. 두 발 걸음을 디뎠을 때 총성이 울린다. 작고 까무잡잡한 놈이 허공에 대고 총을 쏘았다. 총성은 거의 매일 들을 수가 있는데, 어떤 때는 사격 연습을 해서 그렇고, 어느 때는 원칙에 벗어나서 그렇고, 어쩔 때는 군인들이 그냥 술에 취해 러시안룰렛 게임을 해서 그렇다. 종종 서로 총을 쏘기도 하고 어떤 신입은 야간근무 중에 머리에 총알을 박기도 한다. 마을에서 총성이 울릴 때 사람들은 어떤 동요도 일으키지 않는다. 아무도 화단에서 제초를 하거나 생선의 내장을 빼내는 일에서 눈을 떼지 않을 것이다.

나미와 자자는 멈춰 선다. 둘 다 손을 떨고 그 떨림은 손가락 끝에 모여 서로에게 더 강하게 느껴진다. 자자는 돌아보지도 않은 채 그의 손을 놓고 치마를 들어올린다. 작고 까무잡잡한 놈이 그녀의 뒤에서 몸을 갖다 대고 그녀의 젖가슴을 만진다. 자자는 굳게 눈을 감았지만 턱이 세차게 떨린다.

"세르요자, 감시해." 작고 까무잡잡한 놈이 말하고 마음 좋은 비계덩어리 세르요자는 고개를 끄덕인다. 그는 자동 소총 칼라슈니코프를 오른쪽 팔꿈치에 엉성하게 대고는 방아쇠에 손가락을 얹는다.

그러면서 왼손의 엄지를 씹는다. 그의 눈 앞에는 한 방에 뚱보 놈을 때려 눕히고는 다른 불한당을 무릎 꿇리고 총을 쏴서 거시기를 박살내는 광경이 펼쳐진다. 그가 눈을 떴을 때 눈 앞에는 자자의 뽀얀 젖가슴이 깡충거리고 군인의 거무스름한 두 궁둥짝이 역동적으로 움직이고 있다. 왼쪽 궁둥이에는 반으로 쪼갠 멜론을 연상시키는 흉측한 점이 있다. 그는 마치 부셔버리려는 것처럼 자기 머리를 두 손으로 감싸 쥔다. 그리고 자자의 비명을 듣지 않기 위해 귀를 막는다. 하지만 자자는 소리치지 않고 완전히 조용하고 눈을 감고 있으며 입가를 깨물고는 어떤 신음소리도 내지 않는다.

"자, 멍청아, 잘 봤냐?" 작고 까무잡잡한 놈이 자자로부터 내려오면서 지껄인다. 자기 성기를 보면서 자랑스럽게 토닥거리고는 더러운 유니폼 바지에 다시 넣는다.

"세르요자, 이리와, 네 차례야"라고 하며 자기 동료에게 신호를 보내고 세르요자는 지퍼를 내리기 시작한다. 그는 긴장해서 눈을 깜빡인다. 나미는 순간적으로 그의 부주의함을 이용해서 미사일처럼 돌진한다. 그리고 경사면 아래로 구르고, 마을을 산책하는 길이 끝나는 숲의 가장자리까지 나무 사이를 이리저리 구른다. 잽싸게 항구까지 뛰어간다면 소련인들이 더 이상 그에게 총을 쏘지 않을 거란 걸 안다. 그는 세르요자의 발기된 성기를 본다면 숨이 막혀버릴 거라는 것도.

뒤에서 자자의 부르는 소리가 들린다.

그 일이 있고 난 후 며칠동안 나미는 닭장 밖으로 나오지 않는다. 고통스레 잠을 자고 눈을 감으면 항상 눈 앞에 웃음짓는 자자의 하얀 젖가슴이 깡총거린다. 자자 그 자체처럼 그녀의 젖가슴이 역겹다. 씻는 게 필요하다. 그는 매일 밤 도망쳐 나와 얼음 같은 호수에서 목욕을 한다. 피부는 더 따끔거리고 포진으로 뒤덮인다. 밤은 쌀쌀하고 아침에 식수 구유통은 얼음으로 덮여 있다. 그는 암탉을 끌어안고 닭들도 싫어하지 않아서 자신의 체온을 닭들과 나눈다.

"여기 추워요" 콜호스 대표가 물어 뜯은 뼈다귀 같은 것을 가져왔을 때 그가 말을 한다.

"그렇군." 대표는 머리를 끄덕이고는 몸을 세운다.

"더 이상 여기 있지 않겠어요" 그가 말을 하자 목소리에 담긴 분명한 결심이 대표를 돌아보도록 만든다.

"닭장에 더 이상 머물지 않겠다고 말하는 거다"라고 반복하지만 대표는 그저 얼굴만 찡그린다. "나는 매일 밤 여기서 나가곤 하지. 왜냐하면 당신은 문조차 제대로 잠그지도 못하고 내가 자기 여자와 떡을 치는 것도 막지 못하는 그런 쓸모 없는 인간이기 때문이야." 그가 조용하게 말한다. "언제건 난 여기서 나갈 수 있어. 경찰서로 곧장 도망갈 수도 있고 당신이 나를 감금해 두었다는 걸 경찰이 알게 되는 바로 그 날에 당신을 가두고 호수의 정령에게 보내 버릴 걸. 난 밤중에 당신 집을 태워버릴 수도 있어."

대표는 그를 말없이 바라본다.

"여기 냄새나는 닭장에서는 더 이상 살고 싶지 않아." 그는 반복한다. 여기서 보낸 몇 주 후부터 암탉의 냄새로 숨이 막히기 시작한다. 그는 상기되어 주먹을 문지른다. 자라난 집에서 떠나야 한다는 생각에 피가 머리 끝까지 솟구친다. 눈알이 눈꺼풀 안으로 들어가지 않을 거 같은 느낌이 든다.

"널 축복하마, 닭장을 나가서 다시는 돌아오지 마라." 대표가 빠르게 말한다. 그는 고개를 끄덕이고 한 방에 닭장 경첩을 부수고 문을 연다. 그러고 나서는 머리를 숙여 대표 뒤를 따라 닭장을 나와 앞에 선다. 하늘은 회색 빛이고 공기는 차갑다. 그가 어렸을 때는 이 시기에 눈이 내렸고 학교 위의 언덕에서 아이들과 썰매를 탔다. 하지만 지금은 벌써 몇 년 동안이나 눈이 내리지 않았고, 봄과 마찬가지로 가을에도 비가 오지 않았다.

"보로스에서 떠날 거다." 그가 말하고는 깊은 한숨을 내쉰다.

"좋은 생각이군." 대표가 말한다.

"난 언제든 내 집으로 돌아올 수 있어. 그리고 돈이 필요해."

"좋아," 대표가 말하고는 주머니에서 지갑을 꺼내 지폐 몇 장을 그에게 건네려다가 대표는 잠시 그걸 가슴에 대고는 묻는다. "너 내 마누라랑 잤냐?"

그는 웃으며 머리를 젓는다. "시커먼 게 못생겼잖아."

대표는 인상을 쓰고 나서 고개를 끄덕이고는 그에게 돈을 건넨다. 많은 돈은 아니지만 그는 태어나서 처음으로 지폐를 손에 쥐어 본다. 지폐는 붉은 색이고, 초록 색이고 손 때가 많이 묻은 것이다.

"왜 이전에 떠나지 않았냐?" 대표는 물으며 이해가 가질 않는다 는 듯 고개를 젖는다.

그는 어깨를 으쓱하며, 매일 자자와 만나는 즐거움을 멀리하는 게 얼마나 어려웠는지를, 대표에게는 설명할 수 없다. 폐가 조여드 는 것 같다. 집으로 가서는 몇 가지 짐을 챙긴다—생선 해체용 칼, 학교도서관에서 빌린 책 두 권과 증명서, 잡지에서 오려낸 수도의 사진, 낭독대회의 2등상, 갈아입을 셔츠, 외출용 바지, 빗 그리고 속 옷 카탈로그에서 찢어낸 몇 장의 사진—이것들을 학교 소풍 때 들 었던 할아버지의 바랑에 넣는다. 여자는 세 손 달린 아이와 나갔고 그는 작별인사를 하지 않아도 되어서 좋았다.

"써요." 그가 말한다.

대표는 부엌의 테이블에 앉아 손으로 머리를 받치고 있다.

그는 인상을 찌푸리며. "뭘?"

"내가 당신의 허락을 받고 집에서 나가는 것이며 내가 집에 돌아 오면 똑같이 네 것이 내 것이라고 적어요."

"너 이 거지 같은 또라이 새끼."

"적으세요."

대표는 어렵사리 일어나서 창문 위의 선반에 돌로 눌러 놓은 무 더기에서 종이 뭉치를 꺼낸다. 테이블 옆에 앉아 오랫동안 생각에 잠긴다. 그러고 나서 몇 문장을 쓰고는 서명을 하고 통행증을 세 번 접는다. 그는 대표 앞에서 바가지의 깨끗한 물을 턱으로 흐를 때까지 들이킨다. 약간 신맛이 난다. 한 쪽 주머니는 식탁 위 그릇에 있는 삶은 계란으로 채우고 다른 쪽 주머니에는 아이 간식을 준비해 두는 접시에서 건포도를 털어 넣는다. 그는 종이를 펼쳐서 주의 깊게 읽고는 인상을 쓴다.

"이건 아니지"라고 말한다. 그는 구운 고기가 담긴 팬에 손을 뻗어 쩝쩝거리며 그걸 모두 먹어 치우고, 그러는 동안 대표는 땀을 흘리고 다시 몇 개의 문장을 수정한다. 이번에는 그가 만족해 하며 계속 문 옆에 걸려있던 할아버지의 두꺼운 양가죽 외투의 주머니에 이 종이를 쑤셔 넣는다.

"너 이 호로새끼야, 빌어먹을 놈 같으니라고, 내가 사람이 좋아서 그렇지, 다른 사람 만나면 너 같은 놈을 가만둘 거 같으냐. 넌 마을 끝까지 가지도 못할 거다."

"당신 셔츠에 암탉 똥 묻었어." 그는 대표를 거의 보지도 않고 말을 한다. 그는 할아버지의 가죽 외투를 입으며 그게 본인에게 꽉 낀다는 걸 알아차린다. 그의 턱이 번들거린다.

대표는 그의 앞에 놓여있는 황금 색 유리로 된 소금그릇, 레몬에이드 병, 본인의 안경, 신문, 농업보고서, 파리 잡이용 끈끈이의 잘라진 조각 같은 물건 더미를 식탁 위에서 쓸어버리고 그 위에 머리를 떨군다. 힘겹게 그리고 큰소리로 한숨을 쉰다.

그의 부인이 유령처럼 나타나서 살포시 대표의 어깨에 손을 올린다. "여보, 정령이 화를 내시는 거지? 그래서 당신이 저 애를 떠나게 두는 거죠, 그렇죠?"

"조용히 해." 분노하며 소리치자 그녀는 살짝 비켜난다.

≈

모피는 쪼이고 무겁지만 몸을 따뜻하게 해준다. 많은 날들을 추위에 떨었지만 지금은 춥지 않다. 길 위를 걸어 갈 수 없어서 길과 평행하게 걸어 간다. 바싹 마른 작년의 풀들이 발 밑에서 부서진다. 겨울 날의 고요함이 사방을 지배하고 있고 그저 멀리서 호수의 물이 찰싹찰싹 거리는 소리만 들린다. 여학교에서 어린 소녀들의 노란, 하얀, 터키석 빛깔의 모자, 회색 빛 외투 위로 둘러진 목도리가 쏟아져 나오는 게 보인다. 그들 사이에 자자가 있는지 알고 싶지 않아서 그는 빠르게 눈을 돌리고 혀 끝에서는 시큼한 위액이 느껴진다. 입에 건포도 몇 알을 집어넣고 오랫동안 빨면서 혀 위에서 굴린다. 멀리서 통치자의 동상 오른 쪽 팔이 떨어져서 흔들리는 것이 보이자 그는 기뻐했다.

논스톱 안에는 몇몇 단골만이 앉아있는데 모두가 안에 있고 문은 닫혀 있다. 바 넘어 여주인은 다리를 작은 탁자 위에 올려 놓고 조용히 노래를 하고 있고, 립스틱을 바른 붉은 입술은 죽을 만큼 맞은 빛깔이다. 그녀는 놀라지 않고 그를 쳐다본다.

"우리 강아지, 어디로 가려고?"

"수도로 가려고요."

"여기서 머무를 이유가 없다는 거지, 그렇지?"

그는 어깨를 으쓱해 보인다.

"너희 할머니 일은 유감이구나. 좋은 분이셨는데."

그는 고개를 끄덕인다.

"커피 마실래?"

"좋아요."

여주인은 천천히 일어나서 물을 끓인다.

"아이고, 귀여운 녀석, 잘 하는 거야, 여기는 끔찍한 곳이지. 나도 당장 너랑 떠났으면 좋겠구나." 그가 몸을 떤다.

"나도 가고 싶어. 떠났어야 했지만 이제는 여기 남을 거야."

"마리나, 그 아이 내버려두고 여기 술 좀 따라 주지."

"입닥쳐." 마리나가 손을 젓는다.

테이블의 단골은 궁시렁거리지만 감히 저항하지 않는다. 마리나는 플라스틱 잔에 커피를 따르고 몇 방울의 술을 넣어 저은 뒤 그에게 건넨다. 실핏줄이 터져 있는 얼굴은 크고 붉은 빛이다.

"이게 몸을 따뜻하게 해줄 거야. 길은 멀단다. 하지만 그 여정이 호수 전체를 가로질러 가는 거라면 여기서 떠나는 게 가치는 있는 거지. 그런데 소련 불한당 같은 놈들이 소녀 한 명을 강간했다는 거 들었니?"

그는 머리를 젓는다, 아니, 듣지 못했다, 그는 자기가 마시던 커피 쪽으로 고개를 숙인다.

"항상 똑같아. 숲에서 여자를 기다리고 인생을 망가뜨리고, 그런
데 한번도 그 누구도 벌을 받지 않았어. 왜냐하면 우리 경찰도 그렇
고 법정도 그렇고 힘이 없다는 거지. 멍청한 개자식들."

마리나는 숨을 크게 한숨을 쉬며 돈 통을 열어 그에게 지폐 석장
을 건넨다.

"여기 있어. 내가 주는 거야."

"그런데 이건 너무 많아요."

"그래서 뭐 맘에 안든다는 거냐?" 그녀가 소리를 높인다.

"죄송해요." 그가 속삭이며 모피 주머니 속에 돈을 깊게 찔러 넣
는다.

"너 세상 밖의 어딘가에서 누군가 너를 두 팔 벌려 기다리고 있
을 거라고 생각하니? 그거 아껴서 써. 이리 오렴."

나미는 바를 넘어 몸을 숙이고 마리나는 그의 이마에 입을 맞춘
다. 나이든 여자의 건조한 입맞춤은 양파 냄새가 나고 어딘가 자존
감을 잃어버린 듯하다.

"파벨!" 그녀가 허리를 펴며 부른다.

단골 손님 한 명이 돌아본다. 대머리이고 넓은 어깨를 한 남자는
양쪽 팔뚝에 조잡한 문신이 있다.

"이봐, 혹시 수도에 갈 일 없어?"

단골이 고개를 끄덕인다. 마리나가 테이블로 가서 허리에 손을

올리고는 잠시 뭔가 이야기한다. 그를 가리키며 고개를 끄덕인다. 가끔 목소리를 높이지만 그는 그녀가 무슨 말을 하고 있는지 이해할 수 없다. 파벨은 담배 연기 사이로 그를 탐색하듯이 쳐다보고 마침내 결정한듯 손짓을 한다.

"파벨이 내일 아침 유조선을 몰고 수도로 간다는구나. 널 배에 태워줄 거야."

"와우!"

"그래, 그래. 내게 빚진 게 있어서, 갚는 데는 지금이 딱 알맞은 때지."

"이모, 감사해요."

마리나는 정떨어지게 킁킁거린다.

"그 이모는 그만 내버려둬라."

파벨은 소년에게 손을 흔들고, 그는 가방을 들고 여전히 뜨거운 맛없는 커피를 가지고 다가가 앉는다. 파벨은 털북숭이 팔뚝에 인어공주 모양의 문신을 하고 있다. 그 인어에는 나탈리라는 이름이 새겨져 있고, 플라스틱 테이블보가 덮인 탁자에 기대어 앉아서 인상을 쓰듯 짙고 길게 자란 눈썹 아래로 앞쪽을 바라보고 있다. 그의 테이블에서 저녁내내 그리고 밤새 앉아 (새벽이 다가오자 머리를 테이블에 올려놓고 졸고 있다) 한 마디도 듣지 못한다.

둘이 함께 논스톱 밖으로 나왔을 때 날은 여전히 어둡다. 비탈을 따라 항구로 이어지는 자갈 위에는 공기에 남아있는 습기가 얼어 빙판으로 변한다. 그는 공을 때릴 때처럼 가볍게 발을 디디는데 반해, 파벨은 서서히 알코올이 넘쳐 흐르는지 조심스럽게 걸어 간다. 나무로 된 부두를 따라 아주 확신이 없는듯 걸음을 옮긴다. 나미는 그의 뒤를 따라가고 그를 부축해야 한다는 충동과 싸운다. 부두의 반쯤 되는 곳까지 거의 갔을 때 파벨은 말없이 판자에 눕고는 불그스름해진 자신의 어부용 점퍼의 모자를 당겨쓰고는 눈을 감는다. 그는 추위에 손끝까지 아려 온다.

"아저씨, 일어나세요"라고 주저하듯 말을 꺼내지만 그는 꼼짝도 하지 않는다. 나미는 할아버지가 이런 상태로 집에 와서 문턱 앞에 고꾸라졌을 때 할머니가 어떻게 깨웠는지 생각해낸다. 할머니가 근엄한 어조로 할아버지를 일으켰고 집안의 침대로 밀어 넣었던 것을.

"취한 놈은 혼이 나야돼!" 할머니는 할아버지가 고주망탱이가 되어 노래를 부르고 있을 때 한숨을 쉬었다.

"일어나요!" 그는 소리를 지르지만 파벨은 드르렁거린다.

"일어나, 이 자식아!"

파벨은 먼저 네 발로 기기 시작하고 나서 천천히, 조심스럽게 일어난다. 비틀거리지만 서있다.

"자 배에 타, 이 염병할 놈아!" 그가 소리친다. 파벨은 움직이기 시작하고 확신이 없는듯 아침 해돋이를 향해 눈을 끔뻑인다. 하지만 올바른 방향을 향해 걸음을 옮기고 2미터 너비의 부두 위에서 떨어질 듯이 아슬아슬해 보인다. 그가 그의 뒤를 따라 가며 피곤한듯 웃는다. 파벨이 배에 올랐을 때 잠시동안은 버틸 듯 보였다. 그러다 어쩔 수 없는 듯 비틀거리고 휘청거리더니 배와 부두 사이의 차디 찬 좁은 띠 사이로 떨어진다. 그는 부두에 앉아 잠시 파벨 선장이 배의 갑판으로 기어오르는 것을 쳐다본다. 파벨의 움직임은 불필요한 허우적거림도 없고 욕설도 하지 않는다. 취한 흔적은 더 이상 찾아볼 수 없다. 그는 보트로 뛰어오르고 잠시 헐떡거리고 고군분투 한 후에 함께 노력하여 파벨을 배에 앉히는 데 성공한다.

"고맙군!" 파벨이 말한다. "배를 풀어라."

파벨은 시동을 걸고 거의 보지도 않으면서, 만의 동쪽에 정박해 있는 검붉은 유조선의 실루엣을 향해 운전한다. 둘 다 모두 침묵하고 있다. 단지 모터 소리와 배가 파도에 부딪치는 소리만 울려 퍼진다. 파벨은 코를 킁킁거리고 콧물이 흐르고 머리카락에서는 물이 뚝뚝 떨어진다. 그는 웅크리고 앉아 멀어져 가는 작은 마을 보로스를 바라본다. 마을이 해돋이로 인해 서서히 장미 빛으로 물들고 어둠에서 벗어나고 있다. 그 수평선에는 외계인과의 소통을 위해 만들어진 포물선 모양의 안테나 실루엣이 흘러간다. 추위로 나미의 이빨이 달그락거린다. 모든 게 장미 빛이다.

≈

나미가 자자의 하얀 몸 위에 고개를 숙이자 온몸의 피가 관자놀이로 몰리는 걸 느낀다. 자자는 미소 지으며 손바닥으로 그의 머리를 잡는다. 그가 그녀의 유두를 입에 물자 자자는 숨을 짧게 들이쉬며 창백해진다. 그의 맥박이 빨라지고 참을 수 없을 지경에 이른다. 자자의 몸을 따라 그의 머리가 아래로 내려가 다리 사이에 다다른다. 턱이 단단한 장애물에 부딪히고 그의 앞에 댐의 둑과 유사한 콘크리트 벽이 자라난다는 걸 깨닫는다. 자자는 멈추지 말라며 신음한다. 그녀는 창백하고 입에는 거품을 물고 있다. 그는 달아올라 문을 찾아 성공할 때까지 더듬거린다. 손잡이를 잡는데 놀랍게도 그게 움직인다. 문이 열리고 앞에는 긴 복도가 뻗어 있고 끝에는 희미한 불빛만이 비추고 있다. 그는 뛰어가고 복도는 끝이 없이 계속해서 이어지는 것 같다.

그러다가 어린 아이가 하는 것처럼 엄지손가락을 입에 넣어야겠다는 생각이 든다. 그는 갑자기 복도 끝에 서있고 눈 앞에 떠오르는 비너스의 언덕을 바라본다. 그 순간 자신의 심장이 얼마나 요동치는지를 느낀다. 모든 털이 즐거움으로 치솟고 그도 즐겁다. 갑자기 덤불 속에서 동작이 느껴진다. 눈을 비비지만 그렇다. 음모에서 작은 거미들이 몰려나와 서로의 등을 타고 기어오르고 떼를 지어 쏟아져 나온다. 마치 유정이 공격을 받아 걷잡을 수 없이 밖으로 분출할 때처럼 말이다. 그는 겁에 질려 소리를 지르며 껑충 뛰어 물러선다. 거미들이 물결처럼 쏟아져 나오고 그는 어두운 복도를 따라 되돌아 뛰며 소리를 지르고 셔츠 밑에 거미가 있는 것처럼 느낀다.

그가 깨어났을 때 크게 소리를 질렀다는 걸 깨닫는다. 공기 중에는 나프타 냄새가 떠돌고 모터의 단조로운 소리만 들린다. 그는 기계실 안 바닥에 누워 수면 위 부표처럼 일렁거리고, 결국 토하고 싶다는 생각이 든다. 그의 머리가 쿵쾅거리고 온 몸에 열이 오른다.

그는 거친 꿈을 꾸고 꿈을 꾸면서 경련을 하고 덜덜 떨면서 웅크리고 땀을 흘린다. 금속성 바닥은 따뜻하고 그의 몸을 데워준다. 나룻배 안의 할머니에 대한 기억을 떠올려보지만 그게 어제인지 작년인지 확실하지가 않다. 자신의 코가 보이고 그게 이해할 수 없이 크다고 생각된다.

배가 속도를 늦춘다. 그는 누군가가 소리치는 소리를 듣는다. 아마도 파벨 선장이 승무원에게 그러는 것일테지만 그건 피곤에 절은 젊은 남자의 쉰 목소리이다. 닻의 사슬이 내는 철거덕거림과 닻이 바닥에 긁히는 걸 느낀다. 그는 팔꿈치를 대고 몸을 일으켜 자기 앞에 있는 물이 담긴 양철 컵을 바라본다. 애타게 그걸 잡아당긴다. 그의 위 높은 천장에는 형광등이 간헐적으로 기침을 하고 있다. 기계실의 공간은 가운데 회랑이 있는 복층으로 되어있다. 어둡게 윙윙거리는 소리를 낸다. 기계와 벽도 관들도 모두 초록 빛으로 칠해져 있고 부분적으로 벗겨져 있다.

그는 일어나 앉고 자기 앞에 있는 선장의 모습을 바라본다. 파벨은 잠을 자지 못해 피곤해 보이고, 건강해 보이지 않으며 머리카락은 떡이 져 있다.

"도착했다."

그는 이해가 될 수 있는 최소한의 경계선에서 중얼거린다.

"가라."

그는 고개를 끄덕인다. 자기 셔츠에서 땀냄새 나는 걸 느낀다. 너무 빨리 일어나서 현기증을 느낀다. 휘청거린다.

"어디 갈 데는 있냐?" 파벨 선장이 묻고는 관찰하듯이 그를 쳐다본다.

그는 머리를 젖는다. 다시 세상이 출렁거린다. 파벨 선장 뒤로 나체의 여자 모습이 담긴 몇 장의 포스터가 눈에 들어온다. 여자들은 엉덩이가 볼록하고 모두가 갈색 빛깔의 머리를 하고 있다.

"큰 저잣거리를 찾아봐, 물어보면 알거야. 그 뒤에 공원이 있고 공원에는 직업소개소가 있어."

그는 고개를 끄덕인다. 직업소개소가 무엇인지 감이 오지는 않지만 어쨌거나 한밤중에 타는 불빛을 향해 날아드는 나방처럼 그곳으로 갈 거라는 건 안다. 휘청거리며 갑판에 올랐을 때 공기를 들이마시자 그는 약간 나아진다. 그것은 신선한 공기가 아니라 발화된 석유 냄새, 쓰레기, 생선 냄새이다. 하지만 적어도 공기가 움직이기는 한다. 자기 앞에 도시가 보인다. 호수의 건너편이다. 머리가 혼란스럽고 거의 기절할 지경이다.

애벌레 Larva

02

그는 만약 도시에 대해 묘사해야 한다면 어디부터 시작해야 할지
모를 거 같다. 여기 집들은 매우 높고 그래서인지 본능적으로 몸을
움츠린 채 그의 눈은 그 건물들 사이에서 계속 하늘을 바라본다. 공
기는 정적의 울림으로, 배기관의 포화로, 고함소리로 가득하다. 어
떤 여자가 우는 아이에게 큰소리치며 훈계한다. 여기에서는 똥 냄
새, 달콤한 향수 냄새, 튀김의 기름 냄새가 느껴진다. 공중에는 기름
진 종이와 먼지가 날아다닌다. 여기 사람들은 약간 다르게 보인다.
더 빛나고 더 반짝이는 눈을 가졌고, 더 빠르게 움직인다. 길거리의
개조차도 더 서두르는 듯하다. 벽에는 알록달록한 포스터들이 겹겹
이 붙어있다. 포스터는 맨 아래 쪽부터 떨어지기 시작하고 공기 중

의 먼지를 움켜쥐고 있다. 누군가가 등 뒤에서 경적을 울리고 그는 놀라서 펄쩍 뛰어오른다. 번쩍번쩍 윤을 낸 지프 안에는 선글라스를 쓴 소녀가 운전석에 앉아있다. 그녀는 머리카락도 치아도 팔 위에서 움직이는 많은 팔찌도 빛이 난다. 소녀는 소란을 피우며 길에서 비켜나라고 손을 흔든다. 은빛 구슬을 박은 티셔츠에는 해마 그림이 있고 그 아래에 커다랗고 둥근 가슴이 입체적으로 보인다. 그는 고통스럽게 발기되는 걸 느낀다. 누군가 그를 밀치고 하얀 지프는 경적을 울리며 출발한다. 그는 오랫동안 차를 바라보고 가슴 뼈를 문지른다. 뿌리 부분이 검게 자라난 금발머리의 중년여인이 우스꽝스럽게 숨을 내쉰다. 허리 주변에는 지방질로 된 타이어가 둘러져 있는 것처럼 보이고 윗입술 위에는 콧수염이 나있다.

"이모, 몇 시예요?" 그가 그녀에게 묻는다. 낮 시간이 어느 정도 되었는지 짐작조차 할 수 없다. 태양은 꽤 낮고 하늘은 구름 한 점 없지만 바람이 불고 있고 그래서인지 그의 다리에 과자봉지가 감긴다.

"이모?" 그녀는 안경테 너머로 그를 쳐다보고는 지방이 튀어 오를 정도로 웃어 젖힌다. 입속에서 금니 몇 개가 부딪히며 소리를 낸다. 그는 고개를 옆으로 하고 바라보며 그녀가 웃는 걸 멈출 때까지 기다린다. 여자는 쇼핑백을 바닥에 내려놓고 안경을 벗고 눈물을 닦는다.

"8시 30분." 마침내 말을 한다. 쇼핑백을 들어올리고 가려고 돌아선다. "얘야, 8시 30분이야."

"감사합니다." 그가 말한다. 여자는 머리를 돌리고 웃는다.

"피에로기[4] 먹지 않을래?"

"좋아요, 부탁드려요."

"좋아요, 부탁드려요? 그게 남자니? 정신 차려!"

"하지만 난 정말 배가 고파요."

"날 따라와."

여자는 거리를 가로질러간다. 바람이 차갑게 불고, 그는 할아버지의 모피를 입고 있음에도 불구하고 몸을 떤다. 여자는 붉은 네온 글씨가 빛나고 있는 유리로 된 문으로 들어간다. 그 글씨의 상당수가 떨어져 나가 있지만 그는 원래 거기에 무엇이 적혀 있었을지 생각조차 할 능력이 안된다.

잿빛의 카운터 옆에서 여자는 피에로기 두 개와 블랙커피를 주문한다. 말없이 파이가 사라지는 걸 바라보면서 담배를 피고 고개를 끄덕인다. 손톱은 새끼 염소의 피처럼 밝은 빨강색이다. 때가 탄 흰 모자를 쓴 소년이 카운터 뒤에서 신경증 환자처럼 기침을 하고 본의 아니게 배로 돈 통을 건드린다. 피에로기는 기름지고 탄 맛이 나서 그는 위액과 함께 몇 시간동안 토하게 될 것이다.

그는 여자의 쇼핑백을 3층까지 나른다. 약간 다리가 풀린다. 여자는 피곤한 듯 엘리베이터의 통로 방향으로 손짓을 하며 엘리베이

---

4) 피에로기: 동유럽식 만두 혹은 작은 파이라고 할 수 있으며 고기, 치즈, 채소 등 다양한 소를 사용하여 만든 음식.

터가 운행되지 않고 한번도 운행된 적이 없다고 말한다. 그리고 엘리베이터 칸이 있는 수직 통로에 한번도 엘리베이터 기계를 단적도 없다고 말한다. 힘들게 숨을 쉬고는 커다란 하얀 손가방을 뒤적거리며 열쇠를 찾는다.

"들어와"

문 뒤의 복도에는 노란 벌꿀색의 불빛이 있다. 그는 나프탈렌 냄새에 약간 머리가 아득해지는 것 같았다. 순간적으로 술 취한 할머니를 피해 몸을 숨겼던 장농 속의 그 냄새가 떠올랐다. 그는 그럴 때마다 그 속에서 나프탈렌의 냄새를 들이 마셨고 이가 득실거리는 머리를 긁적였다. 이 여자는 십중팔구 따뜻한 우유와 부푼 깃털 베개가 있는 부드러운 침대를 가지고 있을 것이다. 여자는 핑크 빛 깃털 코트를 벗고 고무로 된 실내화로 갈아 신는다. 여자가 코트를 옷걸이에 걸 때 파자마 냄새가 그를 둘러싼다.

"자 들어와." 파자마가 유쾌하게 그에게 소리친다.

"왜 거기 다리 부러진 당나귀처럼 서있니?"

그는 기절할 것 같다고 느낀다. 그가 문틀에 머리를 기대야만 할 정도의 그런 현기증이 그를 압도한다.

"이제 가야 해요." 이해할 수 없이 중얼거린다.

"어디로 해서 저잣거리에 가나요?"

"그냥 쉬러 들어와." 파자마가 말을 하고 고개를 한쪽으로 숙이자 이중 턱의 늘어진 살이 출렁인다. 파자마는 팔을 벌리고 한걸음

다가오지만 그는 단호하게 머리를 젖고는 그녀를 밀친다. 그는 파자마 냄새로 숨이 막힐 것 같다는 느낌이 들었고 결국 게우기 시작한다. 바닥에서 가방을 챙겨 황급하게 계단을 뛰어내려간다.

"골 때리는 놈이네" 여자는 머리를 젓는다.

"그럼 가버려" 그가 계단을 다 내려가기 전에 문이 쾅 닫히는 소리가 들린다.

잠시 후에 그는 거리에 있다. 인도를 따라 정처없이 걸음을 떼고 가볍게 걸어 간다. 이제는 나아져서 보도의 패인 곳을 건너야 할 때면 종종 껑충 뛰어 넘기도 한다. 어느 순간 더러운 누렁이 한 마리가 그와 함께 하지만 첫 교차로에서 오른쪽으로 꺾는다.

공기는 차갑고 면도날처럼 날카롭다. 어딘가에서 돌풍이 나프타 향기를 실어 나른다. 그는 사람들과 부딪히며 진열장을 바라보고 가끔 멈춰 서서 도시의 소음을 듣는다. 몇 번이나 조금 전과 같은 장소에 와있다는 걸 알아차린다. 한번은 신발 진열장의 유리에 비친 자기 모습에 놀라기도 한다. 입술은 부르트고 허옇게 일어나 있다. 그는 도시의 모습을 새겨 넣는다. 다리가 아파오기 시작하고 손끝으로 감각이 없어질 때, 저잣거리의 첫 번째 가게가 눈에 들어오고 감자 운반 상자, 생선이 담긴 바구니, 절인 야채를 담은 유리병, 벌집이 함께 들어있는 꿀을 담은 플라스틱 그릇들이 보인다. 그는 양고기 그릴 향을 맡고 침을 꿀꺽 삼킨다. 라디오 몇 대에서 웅웅거리는 음악이 흘러나오고 높은 음의 목소리들이 소리를 지르고 있다.

가판대의 상인은 얼굴이 넓적하고 눈가에는 보로스의 주민들과 똑같이 바싹 마른 스텝지역의 가시와 유사한 깊은 주름이 잡혀 있다. 그는 차 한잔과 양고기로 만든 고기 패티 하나를 산다. 뜨거운 육즙이 목을 따라 흐르고 눈에 눈물이 차오른다. 그는 마치 면죄부를 받은 것처럼 미소를 짓는다.

"여기 어디에 직업소개소가 있습니까?" 초록색 스카프를 두르고 고기 패티를 팔고 있는 여성 점원에게 묻는다. 그 여자는 머리를 끄덕이지만 알아듣지 못한다. 라디오 소리가 지나치게 커서 그는 질문을 두 번이나 반복한다. 여점원은 일군의 사람들이 몰려오는 방향을 향해 불분명하게 고개를 까딱해 보인다. 그는 그곳으로 향한다. 손을 외투에 문지르고 깊게 숨을 들이 마신다. 공기는 차갑고 코 속이 짜릿하다.

노점상들의 가판대를 피해서 이리저리 한 50미터 즈음을 지나자 다시 시장의 외곽에 다다른다. 열린 컨테이너에 상한 식료품들이 가득한 걸 보면 알 수 있다. 길 뒤쪽에는 공원이 시작된다. 길은 잘 정비되어 있고, 도보길은 깨끗하게 청소되어 있고 낙엽은 잘 쓸어 정리되어 있다. 공원 입구 쪽에는 분수가 있는데 지금은 기온이 낮아 물이 나오지 않지만 보기에도 잘 작동할 듯 보인다. 분수는 한 손에 물병 같은 걸 들고 있는 루살카[5]의 동상으로 장식되어 있다. 여름에는

---

5) 루살카: 강, 호수 등 물이나 물가에서 나타나는 정령, 요정, 물귀신으로, 사람이나 인어의 모습을 하고 나타나 사람을 물로 끌어들인다고 한다. 슬라브의 전설에 등장하며 특히 안토닌 드보르작(Antonín Dvořák)이 오페라로 만들면서 유명해졌다.

그 물병에서 물이 작은 분수대로 쏟아지고 더운 날씨에는 아이들이 뛰어 논다. 루살카는 몸에 붙는 튜닉을 입고 있으며 옷 아래로 가슴 윤곽을 분명하게 드러내고 있다. 그는 흥미로운 듯 동상을 모든 방향에서 면밀하게 살펴본다. 그는 가방을 어깨에 올려 메며 그러는 사이 날씨가 흐려졌다는 걸 알아차린다.

한쪽 면에는 무성하게 자라난 담쟁이 넝쿨의 벽으로 인해 자연스럽게 경계선이 만들어져 있다. 그는 벽의 한쪽에 창살이 있는 구멍이 있는 걸 발견한다. 가까이 다가갔을 때, 우리 같은 사육장이 보이지만 현재 비어 있다. 콘크리트 바닥에는 코카콜라 빈 캔이 놓여 있고 이빨자국이 있는 긴 막대가 놓여있다. 바닥에서부터 천정까지 닿는 마른 나무의 몸통이 서있다. 그가 둘러보다가 그 꼭대기에 왠 털북숭이 짐승이 앉아있는 걸 발견한다. 그 짐승은 그를 관심 없이 바라보며 자기 성기를 만지작거린다.

그는 자기 옆에 누군가 있다는 느낌을 받는다. 카키색 사냥 조끼를 입은 남자로 그의 곱슬거리는 은발은 후광이 비추는 듯하다.

"이게 뭔가요?" 그가 묻는다.

"원숭이" 남자는 답하며 담배를 꺼낸다.

"그렇죠. 그건 그런데 어떤?"

"그냥 원숭이" 남자가 말한다. "마이문이라고 하고."

"마이문아!" 그가 부르지만 원숭이는 그에게 약간의 관심도 보이지 않는다. 계속 가지 위에 머무르며 자연스럽게 자세를 취하고 있다. 그러다가 돌아서서 그에게 빨간 엉덩이를 보여준다.

"왜 여기 있나요?" 그가 묻는다.

"왜겠어?" 남자는 팔을 젓는다. "이게 도시 공원이잖니. 아이들이 다니는데 제일 먼저 돌로 만든 곰을 보고 다음에는 분수 그리고는 마이문, 마지막에는 아이스크림이지. 매 일요일마다."

"왜 계속 불알을 잡고 있나요?"

사냥 조끼를 입은 남자는 하늘을 바라보며 포기하는 듯 손을 내젓는다.

"얘야, 무슨 말을 하겠니? 할 수 있는 거니까 저러고 있겠지?"

그는 낄낄거린다.

"마이문아!" 그는 조용하게 반복한다. 마이문은 그에게 자랑하듯 여전히 엉덩이 쪽으로 돌아 앉아있다. 그는 원숭이의 강한 사향 냄새가 코를 자극하는 걸 느낀다.

≈

직업소개소는 남자들이 3열, 장소에 따라 4열로 서 있는데, 온갖 색깔의 옷을 입고 있는 사람의 냄새와 빨지 않은 옷의 냄새가 섞여 있다. 대부분 침묵하고 포기한 듯 땅을 바라본다. 항상 더러움에 절어 있는 과로한 손은 주먹을 쥐고 있다. 도로에 노동력을 필요로 할 가능성이 있는 차가 다가오면 남자들은 똑바로 서서 배를 집어넣는다. 차의 창문을 통해 팔이 뻗어 나오고 누군가를 향해 손가락을 까딱거린다. 세 명 혹은 네 명의 남자가 자동차 쪽으로 달려나가고, 손의 소유자는 결정하기 시작한다. 짧은 소란 이후에 한 명 혹은 두 명이 차에 오르고 첫 열의 그들 자리는 재빠르게 두 번째 열의 보병으로 채워진다. 거기서 약간 오른쪽으로 떨어진 곳에는 청소부, 정원사, 아이 돌보미를 할 가능성이 있는 여성노동자들의 군대가 있다. 그가 있는 곳에서부터 그녀들의 흐릿한 대화소리가 들리고, 종종 그가 봄에 정원의 벚꽃나무 아래 누워서 듣던 나무 둥지에서 윙윙거리는 꿀벌 소리 같은 그런 웃음소리도 들린다.

그는 세 번째 열의 끝에 선다. 오후 내내 그에게는 기회가 오지 않고, 고용주가 될 가능성이 있는 어떤 사람도 그를 쳐다보지 않는다. 아무도 손가락을 보여주지도 않고, 시멘트가 든 자루를 몇 개나 옮길 수 있는지 묻지 않는다. 땅거미가 질 무렵, 군중은 서서히 주변으로 흩어지기 시작한다. 그는 계속해서 이 발 저 발을 바꿔가며 움직여 보지만 추위에 떨고 있다. 장 본 것을 도와주었던 그 여자라면 그에게 따뜻한 차 한잔을 주고 어쩌면 깨끗한 잠자리를 줄 수 있을 텐데 하는 생각을 해봤다. 헌데 그 여자가 내뿜었던 강한 체취와 고무 샌들의 끔찍한 소리를 생각하면 온몸이 떨린다.

그는 공원에 있는 마이문의 우리 앞에서 밤을 보낸다. 계속 깨는 통에 잠을 잘 자지 못하고 추위에 떨지만 아침에는 귀와 코가 얼었음에도 불구하고 꽤 활기차게 일어난다. 상인들이 시장에서 상점을 열기 시작할 때 그는 달짝지근한 홍차와 양배추가 들어있는 팬케이크를 산다. 오늘은 날씨가 좀더 상냥한 듯하고 태양은 구름을 헤집으려 노력한다. 하지만 바람은 차갑게 분다. 그는 다시 직업소개소에 줄을 서고 오늘은 일찍 도착해서 바로 두 번째 줄에 서있다. 몇몇 얼굴은 어제 봐서 알아볼 수 있다. 그와 고개를 까딱이며 인사하지만 더 이상은 저녁때까지도 몇 사람이 소변을 보기위해 서로 자리를 맡아주는 걸 제외하면 서로를 신경 쓰지 않는다.

그는 매일 노동력이 가능한 사람들의 대략 5분의 1정도만이 일을 한다는 걸 계산한다. 그러면 그에게 5일이면 충분하다. 하지만 실제로는 그것보다 두 배나 되는 시간이 걸린다. 돈은 떨어져가고 매일 매일의 밤은 조금씩 더 추워진다. 몸에서 냄새가 난다. 머리는 가렵다.

용달차에 탄 남자가 와서 나미와 두 명의 남자를 더 가리킨다. 질문도 없이 그들을 차에 태우고는 배에서 내린 물건을 쌓아 두는 항구의 창고로 데려간다. 일은 고되다. 함께 일을 하러 온 남자들 중 한 명은 한나절도 안되어 발목이 으스러졌다. 그는 장갑이 없어서 몇 시간 안돼 손에 물집이 잡히고 피가 난다. 당근과 양파가 담긴 짐짝을 옮기느라 등이 아프다. 그는 도시에 이렇게나 많은 양파를 먹어 치울 사람들이 있다는 게 믿기지 않는다. 십오 분의 점심시간이 있다. 다른 남자들은—나미와 마찬가지로—절약하며 점심 대신에 항구의 콘크리트 부두에 앉아 담배를 태운다. 나무로 된 상자에 앉아 싸구려 담배를 빨아들이며 말없이 호수를 바라본다.

한 때 분명 호수가 있던 그 자리에 저장소가 있고 이곳에는 채굴

부산물인 붉은 유황이 말라 붙어있다. 붉은 유황은 누런 물질로 변하고 그 끝이 보이지 않을 정도이다. 안전모를 착용한 사람들이 따라 움직이고 있는데 사람들은 그 물질을 커다란 누런 블록으로 자르고, 그 블록은 화물선 위에서 아프리카나 호주에서 필요로 하는 소비자를 위해 유황으로 준비된다. 그 뒤쪽에서는 네 개의 검은 탑으로부터 불꽃이 요동치고 있다.

그는 몇일 동안 일하는 과정에서 고통을 겪으며 단단해지기 시작한다. 굳은살은 단단해지고 등은 계속 아프지만 점차 고통을 인식하는 경계에서 벗어난다. 일주일 뒤에 첫 번째 임금을 받지만 그건 약속 받은 금액의 절반 밖에 안된다. 나머지는 숙소의 숙박비로 떼어가기 때문이다. 돈은 거의 식비 정도밖에 남지 않지만 그래도 촌놈처럼 보이지 않도록 새로운 바지와 코트를 사기위해 돈을 모으려고 노력한다. 배가 고플 때는 그 느낌을 없애기 위해 물을 많이 마신다. 그는 적어도 일주일에 한번은 생선냄새가 나지 않고 손톱에 때가 끼지 않은 사람들 사이에 가야하지 않을까 하는 느낌이 든다. 또한 그의 의식과 무의식 사이 어디에선가 어떤 한 여인이 등장한다. 알 수는 없지만 긴 머리카락과 가슴이 있는 걸로 보아 여자라고 판단된다. 그는 그녀를 좋아할 수 있을 거라고 막연하게나마 느끼지만 이런 상황에서 벌여야 할 행위의 불확실성 때문에 이 모든 사안을 미뤄둔다.

숙소의 물은 딱 한 시간만 나온다. 나오기라도 한다면 다행이지만 그것도 마찬가지로 찬물이다. 겨울인데 난방을 하지 않는다. 합판으로 만든 바닥은 천천히 썩어가고 있다. 변소에서 나는 시큼한 악취는 모든 곳으로 옮겨가 벽에, 옷에, 머리에, 베개에 스며든다. 창문에는 유리 대신에 합판으로 대충 막아놓아서 그 틈으로 바람이 들어온다. 침대는 딱딱하지만 그래도 공원 속 마이문의 우리 앞에 있는 말라 비틀어진 건초와는 다르다. 밤은 짧고 나미는 깨어나 그보다 더 먼저 일하기 위해 떠나는 동거인의 발소리를 듣는다.

그는 방에서 열한 명의 남자들과 같이 지낸다. 그들은 너무 피곤해서 저녁에는 그저 침대에 몸을 던지고 잠만 잔다. 빈대에게도 익숙해져서 그들과 싸우지 않는다. 한번은 그가 자기 침대의 밀짚으로 만든 매트리스를 들어올렸는데 침대 프레임 안에 수천 마리가 득실거리고 있는 걸 발견한다. 남자들은 싸울 힘도 자위할 기운도 없다. 그는 종종 자자를 떠올리지만 그럴 때마다 무자비하게도 리드미컬하게 움직이는 소련 궁뎅이 장면이 나타나서 빠르게 그녀를 지워버린다. 몸에 근육이 자라난다. 다른 사람들과는 거의 대화하지 않고, 단지 아침에 세면실에서 몇몇 사람들과 인사를 나눈다.

어떤 날, 나미는 아침에 잠에서 깨어나지만 눈을 뜨기도 전에 몸이 뻣뻣해진다. 온몸으로 그 느낌을 깨닫고 모든 근육이 지는 것 같다. 감긴 눈꺼풀을 통해 천장의 전구에서 발산하는 불빛이 머리까지 흐른다. 손의 손가락은 마치 맥박이 뛸 때마다 길어졌다가 다시 짧아지는 것 같다. 심장이 터질 듯 쿵쾅거린다. 모아둔 돈이 담긴 보라색 양말이 사라진 걸 확인하기 위해 베개 밑을 만져볼 필요도 없다. 손은 담요를 강하게 부여잡고 눈은 여전히 감고있다. 어차피 아무도 그에게 어떤 말도 하지 않을 테니까 주변을 둘러보지도 않는다. 나미는 멍청했다. 코트를 사기위해 모은 돈은 사라지고 없다. 이 순간부터 그는 원칙적으로 돈을 옷핀으로 고정시킨 속옷 안에 두게 될 것이다. 이를 악물고 숙소에서 봄까지 기다릴 것이다.

≈

그는 지금 유황을 생산하는 곳에서 일한다. 아침 무렵 여전히 어둠이 깔려 있을 때 공장의 부지에 도착해도 눈은 여전히 감겨 있다. 그는 걸어 다녀야 한다. 공장으로는 버스가 다니지 않고, 화물차는 폐기종으로 고통받고 있는 숙련된 노동자만을 데리고 간다. 그는 아직 어리고 숙련되지 않은 신참이라서 숙소로 걸어 다니고, 시장에서 산 빨간 스키용 점퍼의 주머니 속에 손을 깊숙이 찔러 넣고 다닌다. 그 점퍼는 중고로 산 것이지만 따뜻하다. 다른 남자들의 무리와 함께 다니지만 말하는 사람은 적다. 어떤 때는 공기 중에 남아있는 습기가 길 위에 얼어붙어 울퉁불퉁한 표면을 만들고 관급품인 신발이 닿을 때마다 빠작빠작 소리가 난다. 신발은 단단한 고무로 만든 바닥창으로 되어 있는데도 얼마 안 있어 뜨거운 아스팔트 때문에 화끈거리고, 이는 일터까지 계속 이어진다. 그는 신발을 매우 소중하게 다루어야 한다. 만일 망가뜨리면 새것을 더 이상 받을 수 없을 테니까.

그는 하루 종일 뜨거운 아스팔트가 흘러나오는 차로 다닌다. 그는 그걸 보면 할머니가 만들어서 핫케이크 위에 부어 주셨던 블루베리 끓인 시럽이 떠오른다. 흐르는 아스팔트의 달큰한 향을 들이마시고, 그 향은 모든 곳으로 퍼져 나간다. 나무로 된 넓은 삽으로 아스팔트를 넓게 펼친다.

집에는 어둠이 깔린 후에 돌아오고 점퍼에는 누런 유황 가루가 묻어 있다. 다리와 폐가 아프고 대부분은 위생에 신경 쓰느라 시간을 낭비하기보다는 그냥 침낭에 몸을 던진다. 여유 있는 시간은 일요일에만 있다. 물이 나오면 찬 물로 재빠르게 한 주의 더러움을 씻어내고 잠시 냄새나는 걸 멈춘다. 작은 가위를 빌려 발톱과 손톱을 깎고 귀를 덮게 자라난 머리칼을 자른다. 그러고 나면 시내로 향한다. 물어볼 사람도 조언을 구할 사람도 없다. 어떻게 물어야 할지조차 모른다. 어머니 이름도 모르고 어떻게 생겼는지도 모른다. 여전히 살아는 있는지조차 모른다. 그는 호수 정령의 존재와 유사한 그런 여인의 존재를 찾고 있는 것이다.

그는 다양한 장소를 돌아다닌다. 기차역의 식당, 저잣거리의 상점들, 찻집과 더 나은 카페로(거기는 그냥 문 가의 황금색 술이 달린 묵직한 장막 뒤에 서서 둘러본다) 가서 여자들의 얼굴을 면밀히 살펴보고 뭔가 단서가 될 만한 걸 찾는다. 대부분 흥미 없는 표정이나 번진 마스카라만 발견한다. 여자들은 그를 향해 손을 내젓는다. 그는 그 중 항구로 다니는 것을 가장 좋아한다. 거리에서 종종 동향 사

람, 유조선의 선원, 소금에 절은 주름이 깊게 패인 어부를 만나곤 한
다. 그들과 뭐라고 말해야 할지 몰라서 그저 그는 옆 테이블에 앉아
소련산 차를 마시며 그들의 대화를 듣는다. 남자들은 찢어진 그물
에 대해, 말라 비틀어진 나무에 대해, 자신의 변덕스러운 여자에 대
해, 얼마나 많은 이웃이 종양으로 병상에 누웠는지에 대해 이야기
하고, 거의 항상 그들이 어떻게 갈보집에 갔었고, 혹은 이제 거길 가
려고 하는지에 대해 이야기한다.

　한번은 술자리 후에 그를 끼워준다. 사창가의 술집 심포니는 이
름이 말해주는 것보다 훨씬 더 우울한 장소이다. 문을 열면 바로 리
셉션 카운터의 접수하는 장소 같은 곳이 있고 카운터에는 운동복
차림의 뚱뚱한 놈이 방 열쇠를 내어주고, 동시에 그가 바텐더 역할
도 한다. 앉을 수 있게 놓아둔 더러운 긴 의자에는 피곤한 여자들이
앉아있곤 한다. 거기 여자들은 속옷 카탈로그에 나오는 여자들과
비슷하지 않다. 허벅지에는 셀룰라이트와 멍이 있고, 짧은 셔츠 아
래로는 토실토실한 배가 드러나 있다. 적어도 그 중 몇 명은 코밑에
콧수염이 자라나 있다. 그녀들은 길고 알록달록한 손톱을 하고 있
으며 그 사이에 담배를 끼워 넣는다.

　그는 아무 생각 없이 리셉션 카운터에 기대어 차분하게 여자들
을 쳐다본다. 그들 중 몇 명은 성숙한 여인처럼 보이고 그의 엄마뻘
이 될 수도 있을 것 같다. 연한 청색의 원피스를 입은 여자의 모습이
눈에 들어온다. 그녀가 여기서 가장 어릴 것 같고 그보다도 몇 살 많

지 않을 게 분명하다. 소녀가 그를 바라보지만 도발적이지 않고 오히려 피곤한듯 그리고 애원하는 듯 보인다. 여가수가 소리치는 요란스러운 오리엔탈 디스코 음악을 최대한 크게 트는 바람에 가격을 물어본 그의 목소리가 소음에 묻혀 버린다. 더 이상 두 번은 묻지 않는다. 남자들은 화주를 한 잔 두 잔 걸치고 반 시간도 지나지 않아 취한다. 그들은 창녀들을 향해 소리치고 그녀들은 언짢아 하며 그들의 무릎에 앉는다. 연청색 원피스의 소녀는 은퇴한 선수같은 몸을 가진 대머리 남자의 살찐 목덜미를 끌어안는다. 그 남자가 땀과 담배로 인해 어떤 냄새가 날지 알아보려고 그 남자 쪽으로 몸을 기울여 볼 필요도 없다.

그는 태어나서 처음으로 펩시콜라를 주문한다. 그건 그가 하루종일 버는 돈만큼의 값이 나간다. 여자들이 남자들과 뒤편의 방으로 하나둘씩 사라질 때 그는 빨대가 꽂힌 펩시 병과 함께 홀로 남아 있다. 그는 카운터의 크롬 도금을 한 가장자리를 만지작거리고, 그러는 동안 유곽의 관리인과 지배인은 함께 신문의 스포츠 면을 읽고 있다. 그가 일어나서 한 여자를 사는 데 얼마인지 묻는다. 한 녀석이 웃더니 기본 요금을 말해준다. 그는 그에게 예의 있게 인사하고 속으로 화대가 너무 비싸다고 생각하면서 밖으로 나온다. 계단 옆에 자동차가 끽 소리를 내며 급정거하고 거기서 백팩을 매고 모자를 쓴 남자가 뛰어내리고는 빠르게 사라진다. 자동차 운전수는 내려서 그 뒤를 따라 쫓아간다. 운전수는 곧 그를 따라잡고 땅에 쓰러뜨린 뒤 배낭의 끈으로 목을 조르기 시작한다. 두 남자는 말없이 격투를 하고 잠시 후 운전수는 일어나서 여전히 누워있는 남자를 발로 찬 후 자기 자동차로 돌아간다. 그리고 시동을 걸고 빠르게 떠나간다. 그는 쓰러져 있는 남자에게 몸을 숙여 그가 앉도록 도와준다. 남자는 얼굴에 피가 나는 상처와 눈물로 범벅이 되어 있다. 그는 숙소에서 급하게 자위를 하고 그러고 나서 잠이 들기 전까지 오랫동안 뒤척인다.

≈

팀원인 니키티츠는 아스팔트의 표면에 얇은 나뭇가지로 빠르게 도안을 그으면 별다른 자국도 남지 않고, 거의 전부 흡수된다고 알려준다. 그는 새롭게 깔린 아스팔트와 함께 홀로 남겨지게 되면 그 표면 위에 자기의 고통을 티 나지 않게 그려 넣는다. 커다란 할머니의 손, 여성의 육체의 곡선, 냄새나는 닭장의 암탉, 세 개의 삼각형. 본인이 쓴 게 빠르게 묻히면 그게 비록 흐려진 신비한 문자의 형태일지라도 그의 비밀이 도로의 표면에 공존하며 머무르게 된다. 한번은 소장이 그걸 발견하고 그의 뺨을 때리지만 표면을 보수하라고 시키지는 않는다. 여름의 불볕더위나 겨울의 혹한으로 유황을 실은 수송차가 다닐 수 없게 되지 않는 한 울퉁불퉁한 아스팔트는 그렇게 그의 비밀을 간직할 것이다.

유황의 부지는 이미 사방팔방으로 아스팔트가 덮이고, 진입로도 그렇다. 지금은 창고로부터 호수까지 닿아 있고 호수의 수면 아래에서 끝이 나는 유일한 도로 하나만이 남아있다. 그가 그 길 위에서 나무 삽으로 아스팔트를 고르게 되는 때는 벌써 뜨거운 여름 날이다. 그는 두꺼운 작업 신발을 신고 타르로 덮인 삼베천으로 만든 바지를 입고 티셔츠는 머리둘레에 묶고 있다. 벗은 가슴을 따라 땀이 흐른다. 니키티츠는 그늘에 앉아 플라스틱 병에 든 물을 머리에 붓고는 그 병을 자기 뒤로 던져버린다. 니키티츠는 좋은 사람인데, 서른다섯의 나이에 머리가 벗겨지기 시작하고 그래서 그걸 챙이 있는 모자로 가리고 다닌다. 그는 자신이 대학교를 때려치웠다고 공공연히 떠들어 대는데, 신문을 읽으며 철학적인 이야기를 하기 좋아한다. 단편적인 지식 때문인지 종종 잘못된 결론에 다다르기도 하지만 그와 논쟁을 벌일 사람은 아무도 없다

나미는 위를 쳐다본다. 하늘이 그를 눈이 멀게 한다. 서쪽의 사막 위에 점점 커지면서 다가오는 어두운 구름이 보인다.

"니키티츠, 저게 뭐야?" 삽의 손잡이로 가리킨다.

니키티츠는 앉아서 모자를 목 쪽으로 당긴다.

"그러네, 젠장 저건 또 뭐야?"

그는 삽에 기대어 서있고 지치고 잠이 온다. 구름은 천천히 다가오며 커지고 있다. 니키티츠는 배를 긁는다.

"이봐, 저거 메뚜기 아냐!"

그는 다가오는 구름 속에서 한점 한점을 구별하기 시작한다.

"와 씨발! 살면서 저런 건 처음 보는데! 넌 저런 걸 본적 있냐?"
니키티츠는 어린아이처럼 숨을 내쉰다. 그는 머리를 젓는다. 한번

은 보로스로 메뚜기들이 날아와 농장에 자라나는 모든 것을, 창고에 저장되어 있던 것을 비롯해 학생들의 간식과 라디오 케이블까지 모든 걸 완전히 먹어 치웠다고 할머니가 얘기한 적이 있지만 실제로 본적은 없다! 그는 곤충의 몸뚱어리, 날개, 검은 다리의 실루엣을 알아본다. 메뚜기 수천 마리가 땅에 내려앉기 시작하고, 많은 수가 그들에게 이미 달라붙는다. 그들은 히스테리컬 하게 메뚜기를 털어버린다. 대다수의 메뚜기들이 여전히 뜨겁고 들러붙는 아스팔트에 내려앉아 참을 수 없는 시끄러운 소리를 내며 지나칠 정도로 너무 오래 죽어간다.

"아, 씨발." 니키티츠가 소리친다.

"저리 꺼져, 다 만든 도로를 엉망진창으로 만드네!"

열기로 메뚜기의 몸은 말라버리고 미이라가 된다. 아스팔트에 남은 그 잔여물은 겨울까지도 미어져 나와 있을 것이다. 도로는 마치 정신 나간 디자인으로 고안된 500미터짜리 양탄자를 연상시킨다. 이 길로는 자동차 한 대도 다니지 않는다. 단지 나미만이 종종 그 길을 따라 산책하며 죽은 곤충의 몸이 신발창 아래서 부서지고 엄청 독특한 멜로디를 만드는 걸 즐긴다.

≈

그는 아스팔트에서 일하던 무리와 함께 유황 적하장으로 배정되었다. 엄청나게 넓고 누런 들판에서 삽을 이용해 유황더미와 부드럽고 밝은 노란빛 모래를 손수레에 싣고는, 들판의 두 코너에 나누어져 천천히 높이를 높이는 더미 쪽으로 그걸 옮긴다.

"이봐, 나 바닷가에 있어!" 니키티츠가 부르며 유황 언덕에 드러눕는다.

"완전 흑해에서 휴양하는 것 같은데! 아르텍[6]이여, 선구자여! 온통 모래 천지네. 나미야 여기 봐봐, 모래 위에서 일광욕 하러 너도 와봐! 하지만 타지 않게 코에다 신문조각을 붙여야 한다!"

그는 웃는다. "소장이 와서 우릴 족칠 거야."

"바보같은 소리마, 우린 일 끝났다고."

그는 니키티츠 옆에 누워 눈을 감는다. 편안함을 느낀다. 햇볕은 여전히 몸을 따뜻하게 해주고 호수의 철썩거리는 소리는 여기까지 들린다. 팔로 유황 모래를 휘젓고는 커다란 노란 결정을 집어 든다. 그걸 통해 태양을 바라보지만 니키티츠가 미친 짓이라고 말하지 않게 곧 던져버린다. 다른 남자들은 자리를 뜨고, 노란 먼지로 뒤덮인 햇볕에 탄 붉은 등만 보인다. 그들을 가게 두면, 샤워실에 물이 남지 않게 된다. 그는 피곤하고 게으름을 느낀다. 앉아서 떠나가는 동료들의 등짝을 바라본다. 이미 태양은 낮게 걸려있고 어귀 뒤쪽 지평선은 붉은색으로 물들어 있다. 그 맞은 편에 거대하고 사멸한 동물, 일곱 단계의 괴물인 채굴탑의 골격이 어렴풋이 보인다. 탑은 수면 위 시추 플랫폼 위에 서있다. 종종 호수의 정령이 격노해서 그 플랫폼을 물 밑으로 끌어당기지만 오늘은 아니다. 지금은 수면이 고요

---

6) 아르텍(Artek, Artëk): 흑해 크림반도에 있던 어린이·청소년 시범 캠프.

하고 초저녁은 아늑하다.

발에 무슨 뭉치 같은 게 걸리는 걸 느낀다. 그는 둘러본다. 니키티츠가 자기 앞을 쳐다보고 있지만 깔깔거린다.

"무슨 짓이야?"

"나? 난 아무 짓도 안했어."

잠시 후에 다시, 이번에는 목에서부터 귀 아래까지 느낀다. 그는 눈을 반쯤 감는다. 니키티츠는 더 이상 참지 않고 크게 웃는다. 그는 심장이 뛰기 시작하고 주먹을 꽉 쥔다. 잠시 후에 그들은 유황 모래 위에서 뒹굴고 노란 결정이 몸 전체와 얼굴에도 묻는다. 니키티츠는 그를 누르고 나미는 니키티츠의 허리를 잡으려고 애쓴다. 니키티츠는 정신박약아처럼 웃다가 완전히 지쳐 떨어진다. 유황더미에 등을 대고 누워서 정신나간 사람처럼 웃는다. 그는 무릎을 꿇고 교차한 양팔로 그의 가슴을 누른다. 땀냄새, 담배냄새, 해바라기 씨 냄새가 난다. 그는 발기되는 걸 느낀다. 못생긴 니키티츠가 집단농장 대표 이후 그에게 손을 댄 첫 사람이라는 걸 깨닫는다.

"자식" 말을 하며 내려와서 샤워하러 간다. 물을 벌써 다 써버려서 그들은 더러운 수건으로 닦는다. 바닥의 타일 위에는 누런 게 겹겹이 층으로 덮여 있다. 니키티츠가 샤워실로 왔을 때도 여전히 계속해서 웃고 있다. 그의 어깨를 친다.

"이 자식아, 이리와"

그를 잡고는 끌어안는다. 그는 굳어지지만 물러서지는 않는다.

니키티츠의 품에서 잠시 머뭇거리고 배에 그의 셔츠 솔기가 느껴진다. 눈에 눈물이 솟는다. 그는 그걸 멈추기 위해 주먹으로 윗입술을 눌러야 한다.

"씨발, 떡치고 싶네."

수증기 어딘가에서 대머리 키릴의 소리가 울린다.

그러자 더이상 아무도 아무 말을 하지 않는다.

≈

다음에 그는 니키티츠와 칵투스라고 불리는 다른 남자와 함께 유곽 심포니에 간다.

"치료받고 있어, 임질이래." 그가 연청 원피스의 소녀에 대해 물었을 때 리셉션 남자가 말한다. 나미는 그 소녀 대신 비슷한 대타를 발견하기 위해 둘러본다. 하지만 다른 창녀들은 생기 없고, 누렇고, 먼지가 껴 있는 듯 보인다. 니키티츠는 아시아계의 커다란 얼굴에 높고 쨱쨱거리는 목소리를 한 갈색머리 여인을 무릎에 앉힌다. 나미의 시선을 느끼고는 미소를 띠며 어깨를 으쓱해 보이고는 갈색머리 여인의 허벅지를 찰싹 때린다.

"자, 먹어봐." 리셉션 남자는 그를 위로하기 위한 듯 베이컨 조각이 있는 플레이트를 들이민다. 그는 말없이 베이컨 조각을 씹으며 팔은 경련이 일 듯 몸에 붙이고 주먹을 꽉 쥐고 있다.

"왜 나타샤랑은 가지 않는 거지?" 잠시 후에 리셉션 남자가 말한다. "저 여자라면 널 한 수 가르쳐 줄 수 있을 텐데. 네 귀에서 천상의 소리가 들리도록 해줄 걸."

"소련 여자, 그거 괜찮지." 니키티츠가 웃으며 머리로 한쪽 구석을 가리킨다. 번쩍거리는 그림 아래 나이를 알 수 없는 통통한 금발머리 여자가 앉아있다. 다리는 꼬고 있고 지루한 듯 양손으로 무릎 감싸고 있다. 리셉션 남자와 포주가 한꺼번에 그녀에게 끄덕이고 그녀는 내키지 않는 듯 몸을 일으켜 바 쪽으로 천천히 다가온다. 귀에는 하얀 말 위에서 곡예 하는 여자 모습을 한 알록달록한 귀걸이가 흔들거린다. 그는 그 귀걸이에서 시선을 뗄 수가 없다. 마치 수면 위의 잠자리들처럼 눈앞에서 이리저리 흔들리고 잔광을 남긴다. 나타샤는 껌을 씹고 있고 턱을 움직이며 그의 눈을 뚫어지게 쳐다본다. 그의 몸이 떨린다.

"자, 이리 와요." 나타샤가 말한다. 그는 아무 말없이 그녀를 따라 위층으로 나 있는 계단을 오른다. 니키티츠는 탐색하듯 그를 바라보며 눈으로 배웅한다. 나타샤는 불분명한 색채의 인상적인 새틴 천으로 된 원피스를 입고 있으며 밑의 길게 트인 부분은 땀으로 젖어 있고 실밥이 튀어나와 있다. 어깨부분에는 핑크색 브래지어의 어깨 끈이 내다보고 있다. 다리는 예쁘고 곧다. 계단은 신음하듯 삐걱거린다. 여기는 계속 이렇겠지라고 그는 체념한 듯 생각하고 처음으로 마음에 들지도 않는 소련 창녀와 빨리 섹스를 해버리겠다고 마음 먹는다. 이런 생각이 그를 슬픔으로 가득 차게 한다.

방이 너무나 작아서 나미는 그녀가 들통을 넣어두는 창고와 혼동한 게 아닌가라고 생각한다. 방문은 반만 열린다. 왜냐하면 문 뒤에 바로 침대가 놓여있기 때문이다. 침대와 벽 사이에는 그가 서 있을 수 있는 딱 그 정도만큼의 공간이 있다.

"그건 놔둬." 그는 나타샤가 귀걸이를 빼려고 하는 걸 보자 말을 건넨다. 벽에 기대어 눈을 감는다. 새틴 원피스의 사각거리는 소리를 듣는다. 눈을 다시 떴을 때 나타샤는 핑크색 속옷 차림이다. 엄지 손가락을 브래지어의 끝 밑에 넣고 있는데, 그 모습이 마치 그 무게에서 어깨를 잠시 벗어나게 하고픈 것처럼 보인다. 그녀의 눈은 부어 있다. 마치 교대근무가 끝날 무렵의 생선 장사처럼 보인다. 전혀 섹시한 느낌이 들지 않는다. 그는 그 귀걸이를 떠올리며, 거사를 생각하려고 노력하면서 눈을 감고 속옷 카탈로그의 여인들을 상상하려고 노력한다. 나타샤가 그의 바지 지퍼를 내리는 걸 느끼자 눈꺼풀에 세게 힘을 준다. 페니스를 살짝 옆으로 돌려보려는 작전을 쓰려고 시도해보지만 나타샤는 흥정하지 않고 그걸 힘껏 잡는다. 손바닥에 침을 뱉고 관처럼 만들어 거기에 페니스를 밀어 넣는다. 벽은 녹색으로 칠해져 있고 침대 위에는 폭풍이 치는 호수와 흔들거리는 작은 배의 그림이 걸려있다.

나타샤의 따뜻한 손이 천천히 그리고 나긋나긋하게 움직인다. 그는 눈을 뜨고 나타샤가 얼빠진 것처럼 문을, 문 틀 위의 벽돌이 부서진 자리를 쳐다보고 있는 것을 본다. 그는 그녀에게 이걸 할 필요 없고 그만하라고 말하고 싶은 생각이 굴뚝같다.

"나 여기 있어." 날카롭게 말하자 나타샤는 움찔한다. 그녀의 턱을 잡고는 끌어당기고 그녀를 만진다. 손으로 그녀의 배를 지나 팬티 속까지 닿았을 때 털 위 쪽으로 깊게 가로로 난 상처가 만져진다.

"이건 아이 때문에 생긴 건가? 아이가 있어?" 그는 질문을 하며 본인이 흥분되어 있다는 걸 알아차린다. 나타샤는 그를 거의 쳐다보지도 않으면서 고개를 끄덕인다.

"벗어."

나타샤는 빠르게 속옷을 벗는데 놀란 듯 보인다.

"몇 살이야?"

"누구?"

"당신 아이? 그 애는 몇 살이야?"

"왜?"

그는 나타샤의 묵직한 젖가슴을 만지고 몸을 밀어붙이는 바람에 둘은 무게중심을 잃고 함께 침대에 넘어진다.

"아우!" 나타샤는 쉿 소리를 내며 목덜미를 잡는다.

"뭐하는 거야?"

그는 그녀의 치골위에 난 구불구불한 밝은 털을 손가락으로 쓸어 내리며 아스팔트에 쏟아졌던 메뚜기를 생각한다. 나타샤는 베개에 머리를 대고 누워 그를 주위 깊게 바라본다. 그는 온 몸을 그녀에게 밀착시키고 끌어안으며 그녀의 커다란 젖가슴을 붙든다. 나타샤는 밝고 우유빛깔의 피부를 가지고 있으며 피부 아래 청록색의 모세혈관이 비추고 있고 장미 빛의 큰 유두가 달려있다. 그는 감각이 사라진 것처럼 그녀에게 몸을 붙이며 닳아빠진 소련 창녀를 끌어안고, 마치 물에 빠진 것처럼 흐느낀다.

"저런, 저런." 그녀는 그를 진정시키고 그의 머리칼을 쓰다듬는다. "젊은 오빠야, 무슨 일일까?"라며 옆쪽으로 돌아눕고 그는 그녀의 품안에서 동그랗게 몸을 움츠린다.

그는 흐느낌으로 떨고 있고, 몸 어딘가에 엄청나게 축적해 두었던 뭔가가, 지금 우연한 타격에 의해 구멍이 나고 그 구멍을 통해 그것이 밖으로 분출되면서 멈춰지지가 않는다. 얼굴이 젖고 꾀죄죄한 하늘색의 침구도 젖고 나타샤의 가슴도 젖는다. 나타샤는 그를 위로하며 그가 지치고 그 안의 눈물바다가 마를 때까지 조용하게 말없이 노래소리를 웅얼거린다.

그가 진정했을 때 나타샤는 자기 아이에 대해 이야기한다. 그 아이는 여덟 살 난 남자아이인데 이름은 보바이며 시력에 장애가 있지만 예쁘게 토실하고 노래를 잘 부른다. 그 아이는 나타샤의 엄마 집에 머무르고 있다. 할머니는 아이를 눈에 넣어도 안 아플 정도로 예뻐하며 나타샤가 하는 것보다는 훨씬 더 잘하고 있다. 나타샤는 자기 아이에 대해 얘기할 때 미소를 짓고 그녀에게 입 다물라고 말하고 싶지만 그러기에도 너무 피곤하다. 써버린 돈이 아깝다. 펩시콜라를 마시는 게 더 좋았을 텐데 말이다. 그는 짧은 한 순간의 경련 속에서 나타샤에게 몸을 붙이고 울며 절정에 오른다.

"하는 거 어땠냐?" 그들이 거길 떠날 때 니키티츠는 그에게 눈을 껌뻑거리고 피곤한 듯 담뱃불을 붙인다.

"쓸데없는 짓을 했어." 그는 말한다.

"게으른 놈 밭고랑 세듯 여자가 별로야"

니키티츠는 의미심장하게 끄덕인다. "그럴 거라 생각했어."

그는 사창가 심포니 앞에 한번 더 찾아온다. 입구 위에는 빨갛고 파란 불빛이 미친 듯이 깜박거리고, 그는 돌아서서 항구 쪽으로 간다. 후덥지근한 술집은 적대적으로 쳐다보는 더러운 남자들로 가득하고, 거기서 그는 화주 반 병을 마신다. 그는 내장 속에 알 수 없는 굶주린 짐승이 깨어나는 것 같은 그런 움직임을 느낀다. 집으로 가는 길에 잠자고 있는 우루보르인에게 발이 걸려 휘청이면서 내면에 있던 짐승을 화나게 만든다. 그 야수는 흥분하고 그가 무엇인가 새로운 걸 보여주길 원하고, 침투성이 술집의 더러운 남자들과는 다른 무엇인가를 보여주길 원하고, 피를 맛보게 하길 원한다.

그는 잠자는 남자를 코피가 날 때까지 발로 찬다. 남자는 신음을 하고 놀라고 혼란스러워 한다. 그는 토하고, 자기 내장 속에서 야수를 게워내려고 노력한다.

≈

시간은 마치 숙소의 창문 앞 자두나무 줄기의 진딧물처럼 하루 이틀 천천히 그리고 주저하며 굴러간다. 그는 손수레에 유황을 가득 싣고 그걸 운반 벨트로 옮긴다. 유황은 그 벨트의 높은 곳으로부터 화물선 갑판 위로 떨어진다. 그는 거대한 근육이 생겨났고 일로 인해 손바닥이 숫돌처럼 단단하다. 일터에서부터 시내까지 걸어 다니고 여전히 노란 가루를 뒤집어 쓴 채로 손에 지도를 들고 거리를 돌아다니며 본인이 둘러본 장소들을 지도에서 지운다. 몇 번인가 엄마를 찾아내고, 두 번인가 자자를 만나지만, 언제나 그들이 아니다. 또한 어떤 사람들은 돌아다니는 동안 반복해서 만나기도 한다. 그들에게 고개를 끄덕여보지만 그들과 말을 섞지는 않는다. 그건 그저 시간 낭비일 테니 말이다. 그는 여기 임시로 머무르는 것이라는 걸 알고 있다. 위장 쪽에 통증이 있곤 해서 시장에서 염소 우유를 사서 그 자리에서 마신다. 고통은 사라지지 않고, 야수가 그 속에서 굴을 파고 있다.

숙소의 사내들은 저녁 식사 후에 독주를 마시고 카드놀이나 백개먼[7] 게임을 한다. 그는 자기의 판자 침대에서 게임하는 걸 지켜보거나 그냥 잠이 든다. 그들에게 합류하기에는 너무나 지쳐 있다. 가끔 숙소에서 싸움이 일어나고, 한번은 칼로 찌르면서 끝이 났지만 경찰도, 응급처치도 부르지 않는다. 바닥에는 커다란 피 웅덩이가 남아있다. 그는 머리를 다른 쪽으로 돌리며 눈을 감는다. 피가 있는 광경은 그를 소름 끼치게 한다.

"애송이, 저거 좀 치워." 대머리 키릴이 그의 침대를 흔든다. 그

---

7) 백개먼 게임((Vrhcáby, Backgammon): 두 사람이 하는 전략 보드 게임으로 중동지역에서 시작했다고 알려진 오래된 게임의 일종.

는 땅딸막하고 매번 싸움이 있을 때마다 외국 담배를 피운다. 그는 약간 맥박이 빨리 뛰기 시작하는 걸 느끼지만 잠자리에서 내려오는 걸 증명해 보이기에도 너무나 피곤하다.

"꺼져" 나즈막하지만 분명하게 답한다. 대머리는 미친놈처럼 튀어나와 허공에 주먹을 휘두르지만 니키티츠가 말없이 길을 막아선다.

"니키티츠, 너 뭐하는 짓이냐?"

"대머리, 걔는 놔두지." 니키티츠가 말한다.

"니키티츠, 니미 씨발!" 대머리 키릴의 목소리가 올라가며 손바닥으로 니키티츠의 가슴을 친다. 니키티츠는 그의 손목을 잡고 그 손바닥으로 대머리 키릴의 얼굴을 찰싹 소리가 나도록 때린다.

"조금 더 날 열 받게 해보시지. 그럼 내가 네 속옷으로 여기 피를 닦게 해줄테니." 니키티츠가 말하며 흥미 없다는 듯 대머리를 놓아준다.

"내가 갚아주겠어." 대머리가 이를 갈며 물러난다.

"고마워." 그가 니키티츠에게 말한다. 그는 피곤하지만 오랫동안 잠들 수가 없다. 찔린 남자는 밤새 신음을 한다. 바닥의 피는 말라서 반짝이는 진홍빛의 검정색 막을 형성한다. 그 막은 빠르게 벗겨지고 곧 나미의 공동 숙박인들이 그걸 발바닥에 묻혀 여기저기 옮긴다.

일요일에 니키티츠는 그를 유원지로 데리고 간다. 그에게 솜사탕과 캐러멜로 덮인 볶은 땅콩을 사준다. 그들은 작고 알록달록한 전기차에 오르고, 시아버지 무릎에 앉은 것처럼 그렇게 그 작은 자동차 안에 앉아있다. 자동차 연료가 떨어지자 그는 니키티츠에게 한번 더 탔으면 좋겠다고 부탁한다. 니키티츠는 어떻게 그를 창녀촌에 데려갈 생각을 했었는지 생각하며 웃는다. 자동차 관리자가 왔을 때 두 사람은 자그마한 운전대 앞에 계속 앉아있고 니키티츠는 한번 더 계산한다.

그는 공중그네를 타고 힘들어했고, 사격장에서는 그가 전혀 사격할 줄 모른다는 걸 증명해 보인다. 반대로 니키티츠는 기관총 부대에서 기초군사 훈련을 마쳤던 걸 증명해 보인다. 니키티츠는 인어의 모습이 조잡하게 그려진 회전판을 향해 발사하고 열 발 중 아홉 발을 정확하게 심장에 관통시킨다. 그는 축구공을 맞추었는데 이미 표면의 띠 부분이 벗겨져 있지만 그런 건 상관없다. 니키티츠가 그걸 주자 그는 진한 감동을 받는다. 그는 한번도 자기의 공을 가져본 적이 없었다.

그들은 사격장에서 나와 대관람차 쪽으로 간다. 대관람차의 지붕은 노랗고 안쪽은 성기 그림과 앞서 놀이기구를 방문했던 사람들의 메시지, 이름과 전화번호로 다채롭게 꾸며져 있다. 기구는 천천히 돌기 시작한다. 니키티츠와 그는 작은 공간에 매우 붙어 앉아있고 대화는 끊긴다.

"그럼 난 적어도 우리 이름이라도 써야겠는 걸." 마침내 니키티츠가 말하면서 체크무늬의 플란넬 천 재질로 된 남방의 앞주머니에서 볼펜을 꺼낸다.

글레프 니키티츠와 고아 나미, 풍부한 인생 경험. 니키티츠는 다른 서명들 사이에 이름을 대문자로 써넣고는 만족스럽게 본인의 창작물을 오랫동안 바라본다.

"풍부한 인생 경험, 괜찮지 않나?" 그가 묻는다.

"멋진 글씨네." 그는 인정하듯 말하며 먼 곳을 바라본다. 벌써 높이 올라와 있어서 거의 대관람차의 정상에 가깝다. 그는 도시 전체와 원주민의 고급 주거지역, 번쩍거리는 석유 회사의 고층 빌딩, 광산의 탑들, 시선 끝까지 닿아 있는 호수의 표면 위에 놓여있는 석유탱크로 만든 긴 구슬목걸이를 바라본다. 어느새 현기증을 느낀다. 숨을 내쉬며, 피 속에서 산소량이 감소하고 머릿속의 박동은 참기 어려울 정도로 강해지는 동안에도 무릎 위에 축구공을 단단히 쥐고 자기의 인생경험에 대해 생각한다. 그는 그게 접시 위에 있는 것처럼 모든 것이 분명하게 보인다.

"형이 우리가 함께 보로스도 가보게 될 거라고 했어." 마침내 말을 쏟아 내고는 숨을 헐떡인다.

니키티츠는 어깨를 으쓱해 보이고는 주머니에서 담배갑을 꺼낸다. 위쪽에 바람이 불고 있어서 그는 라이터를 가지고 얼마동안 애를 써야 했다. 그들은 놀이공원에서 나오는 길에 포장마차에 들른다. 니키티츠는 빠르게 네 잔의 보드카를 들이키고 돌아오다가 그와 마주친다. 그리하여 그에게 어깨동무를 하고는 울먹이듯 그의 여자에 대해 이야기를 한다. "내가 이 수도로 왔는데 말이야, 이 팔로"—그는 나미의 눈앞에서 다른 자유로운 팔을 휘젓는다.—"함께 살 집을 마련하려고 말이지. 그런데 그년은 자동차 정비소장 놈과 놀아난 거지."

"친구야, 여자를 조심해. 여자는 괜찮은 모든 남자가 빠질 수밖에 없는 함정이야! 내 말이 맞다는 걸 알게 될 거야!"

그는 말 없이 이빨 사이에 낀 땅콩 조각을 혀로 빼내려 한다.

"함정인지 알게 될 거야!" 니키티츠는 울먹이며 그의 얼굴을 어루만진다. 몇 번이고 걸려 넘어지려 해서 그가 매번 잡아준다. 이미 어둠이 깔렸지만 가로등은 깜박이며 빛을 밝히고 있다.

"이리와!"

"우리 내일 막노동하러 일어나야 해."

니키티츠는 양처럼 그를 따라간다.

≈

유황이 손수레에서 궤도 컨테이너로 쏟아지고 이게 다시 역삼각형 모양의 호퍼로 쏟아지는데, 사내들은 그걸 노처녀라 불렀다. 깔때기 밑부분은 잘려져 있다. 바닥 부분은 삐드득거리며 열렸다 닫혔다를 반복하면서 점진적으로 유황을 통과시키고 튀는 유황덩어리는 걸러낸다.

그는 니키티츠와 나무삽을 들고 궤도 컨테이너 위에 서서 화산처럼 달궈진 구멍 난 벨트에서 유황이 호퍼 외에 다른 곳으로 쏟아지지 않도록 살피고 있다. 얼굴에는 유황 먼지에 아무런 효과가 없는 단순한 면 마스크를 하고 있다.

고장난 기계는 그르렁거리며 계속되는 유황의 손수레를 집어삼키고 그걸 화물선 위에 분비한다. 배 위에서는 다른 두 사내가 삽으로 그걸 빠르게 흩어 놓는다.

"이런 좆 같은 일을 죽을 때까지 한다고 상상할 수 있겠어?" 그가 묻는다.

"네가 원하지 않으면." 니키티츠가 마스크를 쓴 채로 웃는다. "너는 다른 공기가 마시고 싶다? 너는 그렇지. 에헴 …, 나는 아무런 다른 이점도 떠오르지 않는데 …."

"멍청이" 그가 웃는다.

"그렇지" 니키티츠가 말하며 삽에 기댄다.

"잠시 후면 점심시간이야"

그는 비록 뭔가 먹을 게 있더라도 위장의 통증 때문에 삼킬 수가 없을 거라 생각을 한다. 머리를 들어 하늘을 보니 하늘이 온통 빗자루로 쓸어 놓은 것 같다. 제비가 낮게 날고 호수 위의 유조선이 경적을 울린다.

"니키티츠!"

대머리 키릴이 궤도 컨테이너 아래쪽 기슭에 서서 머리 위로 무엇인가를 흔들고 있다. 무슨 판이거나 봉투처럼 보인다. 니키티츠는 천천히 고개를 돌려서 끄덕인다.

"너한테 온 게 있어!"

"그게 뭔데?"

"맞춰봐! 어쩌면 집에서 온 편지이거나, 어쩌면 사장이 보낸 임금이거나 아니면 니가 주문한 그 포르노 잡지이거나, 아니냐?"

"대머리, 집어쳐. 점심 먹으러 가면서 가져갈테니."

"잡아봐!"

"이 새끼 너 감히 던지기만 해봐."

봉투는 공중으로 날아간다. 니키티츠는 그걸 허공에서 잡으려고 하다 중심을 잃고 휘청거린다. 공중에서 팔을 허우적거리고 다리를 버둥거리며 봉투와 함께 호퍼로 미끄러진다. 그는 눈을 감고 귀도 그렇게 하려고 노력한다. 호퍼의 밑바닥에서 그르렁거리고 삐드득거리는 소리가 울리고 구조물 전체가 약간 흔들리는 것 같다. 그는 믿을 수 없다는 듯 소리치는 니키티츠의 목소리를 듣는다. "맙소사, 내 손이 없어!"

니키티츠는 호퍼의 밑바닥에서 격렬하게 움직이며, 왼쪽 팔꿈치와 다리로 저장소의 벽을 지탱하려고 노력한다. 오른팔은 손목 부분이 사라졌다. 그는 니키티츠를 보면서 움직일 수도 없고 소리칠 수도 없고, 내장에 콘크리트를 들이붓는 듯하다. 피범벅이 되어 움직이는 깔대기의 밑바닥은 위협적으로 열고 닫기를 반복하고 니키티츠는 호퍼 벽에 다리를 대고 씨름하고 있다. 니키티츠는 마치 저런 멍청이는 써먹을 데가 없다라고 말하고 싶은 것 같지만 그저 눈을 기둥으로 돌린다. 사실 의식을 잃고 있다. 그는 체념한 채 자기 몸이 피라미드의 바닥으로 미끄러지도록 내버려둔다. 오래 사용한 것이지만 지치지 않는 기계의 내부는 끊임없이 열리고 닫힌다.

"대머리, 이걸 꺼!" 그가 소리치지만 그저 쌕쌕 거리는 소리만 나온다.

그는 머리 위로 삽을 흔들고 마침내 누군가 그걸 알아차리고 기계를 멈춘다. 사이렌이 울린다. 점심 시간이다.

≈

그는 유황공장으로 다시는 돌아가지 않는다.

저녁에 숙소 앞에서 대머리를 기다리고 주먹으로 그를 때리기 시작한다. 그는 말도 안 되게 서투르고 터무니없어 보이고 그저 본인의 분노로 그를 쫓은 것으로, 한번도 격투 경험이 없었다. 대머리는 기습을 당하고 취해 있었지만 공격에 반사적으로 반응한다. 주먹을 뻗어 그의 배를 가격한다. 그는 충격으로 신음하지만 곧 다시 몸을 세운다. 키릴은 다시 공격하고 이번에는 오른쪽 턱이다. 그는 쓰러져서 드러눕는다. 키릴은 그의 배를 발로 걸어 차고 그 위에 걸터앉는다. 그는 반격하려고 노력하지만 키릴의 근육질로 된 배에 부딪칠 뿐이다. 둘 다 말없이 주먹질을 하고 그들의 주먹은 시간이 갈수록 더 느려진다. "진짜 싸움은 거의 시작과 함께 곧바로 끝나지." 그는 니키티츠가 하곤 했던 말이 떠오른다. 이 거북한 상황이 너무 오래 지속된다.

그가 헐떡거리고 마침내 키릴은 떨어져 나온다. "니가 이번 교훈을 기억하길 바래"라며 숨을 헐떡인다. 그는 천천히 일어나서 고개를 끄덕인다. "물론이지." 그는 오른쪽 발로 대머리의 얼굴을 걷어찬다. 무엇인가 으스러지는 소리가 들린다. 키릴은 땅에 구르며 신음한다. 그의 얼굴이 피범벅이 되고, 어둠 속에서 그는 적어도 그럴 거라고 생각한다.

그는 짐을 챙겨 숙소를 빠져나온다. 배 속의 통증은 잦아들지만 며칠째 얼굴이 퉁퉁 부어 있고 십중팔구 뇌진탕도 있었던 거 같다.

≈

커다란 검은색 지프 차량, 그런데 모터쇼에서 막 출시된 것처럼 깨끗하다. 모터는 잘 먹인 짐승처럼 조용하고 만족스럽게 작동한다. 차는 도로변에 멈춘다. 운전석에는 약간 긴 곱슬머리를 한 젊은 남자가 비싼 옷을 입고 앉아 있고, 그의 신발은 수면처럼 반짝인다. 자동차에서 내리면서도 시동은 끄지 않는다. 내부는 쾌적한 공기와 인테리어용 방향제의 향기로 가득하다. 도시의 비공식적인 소개소에는 일하고자 하는 사람들이 모여 있고 그 첫 열의 두 남자가 말없이 자동차의 보닛을 닦기 시작하지만 젊은 사내는 그들을 의식하지 못하고 남자들 사이를 지나간다. 그를 훑어본다. 그는 선글라스 너머로 그를 보기 위해 약간 고개를 숙여야 한다. 한 손으로 그에게 차에 타도록 지시하고, 운전석으로 돌아와 콧마루에 손가락을 갖다 댄다. 모터가 돌며 그가 문을 닫기도 전에 차가 앞으로 출발한다.

이 사내는 조니라고 하는데 텍사스에서 공부했고 지금은 외국계 정유회사를 위해 일한다. 조니는 채굴로 솟구쳐 오르는 석유를 어떻게 팔아야 하는지 잘 알고 있는데 자신의 일을 수족처럼 돌봐줄 사람이 필요하다. 누군가 믿을 만하고 동시에 잔소리하지 않을 사람을 찾는다. 조니의 목소리는 유쾌하고, 거의 여자 목소리처럼 하이톤이다. 종종 입을 다물고 코를 만지작거린다. 그에게는 아무것도 묻지 않고, 이 일을 할 건지조차 묻지 않는다. 모든 게 이미 결정된 것이다. 차가 시장 주변을 지날 때 그는 침묵한다. 차 안에는 에어컨이 켜져 있어서 썩어가는 채소의 악취도 양젖으로 만든 치즈를 곁들인 부레크의 냄새도 느껴지지 않는다. 그는 점차 출입문에 대리석과 금칠이 되어있는 문들이 늘어나는 부유한 구역을 지날 때에도 침묵한다. 주변에 베르사체, 아르마니와 아일랜드 술집과 외국인을 위한 멕시코 레스토랑을 지날 때에도 침묵한다. 하얏트 호텔과 유리와 콘크리트로 만든 글로벌 기업의 건물들이 하늘을 향해 위협적으로 서 있는 모습이 마치 거대하게 발기된 것처럼 그리고 싸구려 뷔페에 줄을 선 턱시도를 입은 남자처럼 어울리지 않게 보인다.

조니가 사는 구역은 조용하고 평온하며 거리에는 거의 사람이 없고, 심지어 떠돌이 개조차도 보이지 않는다. 조니는 지하주차장으로 들어가고 거기에는 검은색, 빨강색, 레몬 빛깔이 나는 노란색 지프차와 리무진이 줄지어 서있다. 차고의 끝에서는 등이 굽은 노인네가 콘크리트 바닥을 쓸고 있다. 조니는 전화로 누군가와 이야기를 하고 있다. 그는 키가 크고 팔다리가 길어서 거미나 모기를 연상시킨다. 그는 어쩔지 몰라 발을 이리저리 움직이고 조니는 그에게 고개로 짐을 나르도록 지시한다. 그는 몇 개의 비닐봉지와 멜론, 딸기, 달걀 그리고 그가 벌써 여러 달 동안 맛보지 못했던 것들을 조심스럽게 꺼낸다. 종이 박스에는 보드카, 진, 로즈 와인 같은 술이 들어있다. 조니는 계속 전화를 하고 그는 뒤를 따라가며 하나라도 놓치지 않으려고 노력한다.

엘리베이터는 조용하고 온통 은빛이며 안쪽에는 거울이 있다. 그는 거울 속에서 몇 달 만에 처음으로 자기 모습을 보고는 놀란다. 눈썹사이에 주름살이 두 개 생겼고 얼굴에 더러운 얼룩이 묻어 있다. 이게 그라면 보로스에서 온 그 소년은 어디에 있단 말인가? 자기 모습에 인상을 쓰고는 결국 눈을 감아버린다. 엘리베이터는 15층에서 부드럽게 소리를 내고 조니는 그에게 말없이 고개로 지시한다. 집은 공간이 넓고 벽은 바닥부터 천장까지 유리로 되어 있고 바닥에는 천연색의 두꺼운 카펫이 깔려 있다. 벽에는 사냥 전리품이 걸려있다.

조니는 잠시 침실로 사라진다. 침실은 커다란 침대가 벽면의 거울로 둘러 쌓여 있고 바닥에는 호랑이 가죽이 놓여있다. 돌아와서는 그에게 집을 보여준다. 그가 돌보게 될 이국적인 식물이 있는 테라스, 냉장고, 세탁기, 전자레인지, 건조기. 얼룩말 무늬의 긴 소파

밑에는 회색과 푸른빛이 도는 고양이가 쉬익 소리를 낸다. 그는 고개를 끄덕인다, 그래, 분명하네, 이 모든 걸 당연히 알고 있다, 어쨌든 그가 시골뜨기는 아니니까.

"매일 아침 고양이를 먹인다. 여기 먹이가 있고 일주일에 한번씩은 가금류의 간을 사야 하고, 맙소사, 너 여태 샤워기를 본적이 없는 거지? 본적이 없어, 그래?"

조니는 소매를 걷어 올리고 그에게 샤워기를 어떻게 사용하는지를 보여주다가 물에 젖은 채로 웃는다. 그는 샤워기를 본적 있지만 그래봤자 보통 주둥이가 녹이 슬어 있었고, 그나마 고장이 없을 때는 석회가 낀 분출구에서 물이 쫄쫄 흐르곤 했었다. 그는 인공비와 마시지용 분사가 가능하고 크롬 도금을 한 이런 아름다움을 본적이 없다. 벽은 녹색의 공작석 판으로 장식되어 있어 마치 비취산 콜로스에 있는 금장 칸국의 잠자는 전사로부터 직접 가져온 것 같다. 여기 모든 것은 어리석게 쓸데없이 비싸고 럭셔리하다.

"이건 욕조이고 마사지도 가능하지. 여기에는 아예 들어갈 생각 말고, 이리와. 어디서 잘지 보여 줄게."

그는 가슴이 철렁한다. 자신이 챙김을 받고 안식할 지붕이 생기는 걸 생각지도 못했었다. 그래서 조니가 잡동사니를 넣어두는 광을 열었을 때 아무 거부의사 없이 그를 따른다. 광에는 바닥에 매트리스가 깔려 있고 오래된 틀에 끼워져 있는 초상화들이 벽에 기대어 놓여 있다. 사용한 흔적이 있지만 거의 새것이고 그는 이런 데에 누워 본적이 없다. 무릎을 턱에 대며 조심스럽게 앉아본다. 옷이 몇 주 동안 빨지 않아서 악취가 나는 걸 느낀다. 매트리스는 부드럽고 탄력이 있어서 이전 숙소에 있던 벼룩이 득실거리고 뜯겨 나간 밀짚 매트리스랑 비교하면 너무 섬세해 보인다. 할머니가 들려주던 동화가 떠오른다. 가난한 시골 풋내기가 착오로 인해 황제의 성에 이르게 된다는 내용의 동화가.

"사온 거 정리하고 씻어. 악취가 풀풀 난다." 조니가 말한다. "그러고 나서 가볍게 저녁 만들고. 다음번에는 혼자 장보게 될 거야."

그는 고개를 끄덕인다. 목욕탕에서 거울에 비친 모습을 훑어본다. 또다시 마치 다른 사람을 보고 있는 것처럼, 마치 영화감독이 시간의 흐름에 따르는 역할을 위해 다른 배우를 캐스팅한 것처럼 느껴진다. 몸은 이제 성인의 것이라고 해야 어울릴 것이다. 확실하게, 승모근과 삼두근이 발달하고, 눈썹이 짙어졌고 턱이 발달했다. 턱에는 부드러운 털이 자라고 있다. 다리와 가슴에는 검은 털이 구불구불하게 자라나 있다. 어떻게 지금까지 그걸 알아차리지 못했을까? 풍부한 거품으로 비누칠하고 손가락으로 그걸 쓸어보며 귀하고 따뜻한 물줄기가 온몸을 따라 흘러내리도록 내버려둔다. 그는 그냥 그렇게 나가고 싶지 않아서 물이 다 할 때까지 기다린다. 이렇게 물이 영원히 흘러가도록 두는 게 불가능하지 않은가? 하지만 그건 절대 멈출 거 같지 않다. 결국 샤워실에서 나와 젖은 발로 사파이어 빛이 도는 초록색 타일을 디딘다. 자기 뒤로 비누 거품으로 된 발자국이 남는다. 거울에는 김이 서려 있다. 그는 그걸 닦고 자신의 불분명한 실루엣을 바라본다. 확실하게 이미 소년이 아니라 남자다. 머리칼에서 물이 떨어지고 거울 속의 자신이 마음에 든다. 하지만 그와 동일하다는 걸 증명할 수가 없다. 거울 속 모습에는 그를 동요하게 만드는 무엇인가, 알 수 없는 무엇인가, 거울 뒤편 풍경 속으로 그를 당기는 무엇인가가 있다. 앞쪽 현관을 열자 수증기가 밖으로 쏟아져 나간다. 그는 럭셔리한 목욕탕의 문간에서 등쪽으로 햇살을 받으며 완전히 나체로 서있다. 발기가 된 페니스에 수건을 걸고 그걸 흔들어 본다.

조니는 침실 문 안쪽에 서서 바닐라향이 나는 무엇인가를 피우고 있고 즐거운 듯 그를 주시한다.

그는 조니가 입다가 준 아디다스 티와 운동복 바지를 빠르게 입는다. 부엌에서 냉장고를 열고 요리할 만한 게 뭐가 있는지 살펴본다. 캐비아가 담긴 작은 컵, 살구잼, 당근, 마늘 두 쪽, 멜론, 딸기 그리고 개봉 안한 이탈리아 치즈, 냄새나는 가금류의 간, 샴페인, 수많은 샴페인들. 버터와 달걀. 살면서 한번도 요리를 해 본 적이 없는데 이것들을 어쩌나? 잠깐동안 말없이 유리와 자기로 만든 판과 씨름하고는 팬에 버터 덩이를 던져 넣고 팬에서 버터가 황금빛 거품을 내자 달걀 세 개를 넣는다. 그리고는 거기에 고르곤 졸라와 캐비아 한 숟가락으로 장식한다.

"저녁 식사요" 조니에게 말하고는 어깨를 으쓱한다. 조니는 침대에 누워 관자놀이를 문지른다. 침대는 너무나 넓어서 헬리콥터가 착륙할 수 있을 정도이다. 그의 다리 사이에 고양이가 누워 적개심을 품은 채 훑어본다. 침대 옆에는 협탁이 놓여 있고 서랍이 반쯤 열려 있다. 그는 그 속에 몇 개의 비닐봉지와 함께 권총이 있는 걸 언뜻 보게 된다. 조니는 그제서야 그의 시선을 알아차리고는 고개를 까닥거린다. 일어나서 부엌으로 간다. 접시를 손에 쥐고 믿지 못하겠다는 듯 쳐다보고는 냄새를 맡아보고 나서 그걸 음식물 분쇄기에 던져 버린다. 그는 음식이 분쇄기를 통과하는 소리를 들으며 마른 침을 삼킨다.

"이젠 배고프지 않아." 조니가 말하며 냉동실을 열고 보드카병을 꺼내 들고 침실로 사라진다. 그는 아무 말없이 접시를 닦고 물기를 말리고 찬장에 다시 넣는다. 그런 후에 테이블의 의자에 앉아 창문 밖을 쳐다본다. 15층의 높이에서 시장의 상점들, 오랜 주민들의 빌라, 항구와 호수 표면에 치는 물결도, 유전선들과 멀리 채굴탑도 보인다. 창문 너머에서 바람이 모노톤으로 윙윙거린다. 조니는 전화를 걸고 목소리를 높인다. 피곤하고 자고 싶다. 벽의 텔레비전을 켜고 머리를 테이블에 대고는 잠이 든다.

$$\approx$$

몇시간 뒤 웬 목소리들이 그를 깨운다. 밖은 이미 어둠이 내렸고 집은 사람들로 가득하다. 가죽 점퍼를 걸친 다부진 체격의 남자 두 명과 마치 무엇인가 특별히 깨끗한 걸 선전을 하는 광고전광판에서 막 걸어 나올 법한 향기나는 사내가 한 명 있다. 그리고 번쩍이는 장신구를 잔뜩 걸치고 윤이 나는 긴 다리를 가진 세 명의 젊은 여자들이 무엇인가를 논쟁하는지 속닥거리고 있다.

"조니, 너 집사 고용했구나?" 그들 중 한 여인이 웃는다. 그녀는 미간이 살짝 넓은 갈색머리 여성으로 귀에는 은으로 된 링을 하고 있다. 나미 너머로 냉장고를 열어 샴페인 병을 꺼내려고 하는데 쓸데없이 밀착한다. 조니는 조리대에 기대어 그녀가 나미에게 엉덩이를 살짝 문지르는 걸 주시한다. 그는 어깨 너머로 넘실거리는 그녀의 가슴을 터치하도록 자극 받는 걸 참는다.

"이쁜이, 자중해." 조니는 흥분하지 않고 말한다. 그녀는 신중하고 집중해서 그를 훑어본다.

"이런 어린 꽃사슴이네" 애처로운 듯 얼굴을 매만진다.

"디아나, 진정해. 그리고 이제 그만 마셔." 조니는 웃으며 자기 앞으로 여자를 밀며 침실로 들어간다. 그는 일어나서 자기 광으로 누으러 들어간다. 머리가 혼란스럽고 눈이 감긴다. 잠이 들었을 때 심하게 쾅 하는 소리가 들리고, 바람에 돛이 펄럭거리는 것처럼 살과 살이 부딪히는 무자비한 소리가 들린다. 여자는 잠시 신음소리를 내고는 그와 연관된 탄성을 지른다. 남자는 한번의 정력적인 인간 본연의 신음소리와 유인원의 외침 소리를 내고 그리고나서는 조용해진다. 그는 불안하게 잠을 자지만 그래도 아침까지 잔다. 아침에 깨어났을 때 환기를 시키고 재떨이를 비우고 잔을 모으고 그릇을 닦고 고양이를 테라스로 내보낸다.

여자들 중 한 명이 거실의 긴 소파에서 자고 있고 금빛 원피스는 허리까지 기어 올라가 있다. 속옷을 입지 않았다. 그는 쩍 벌린 다리 사이로 민둥산이 된 성기를 바라본다. 보로스의 포치 위에서 오후의 햇살 아래 부끄러움 없이 나뒹굴던 암고양이 사나가 떠오른다. 그녀를 보며 왼쪽 팔을 긁적거리고, 오늘은 더운 날이 될 거 같은 생각이 든다. 여자가 움직여서 그는 재빠르게 까치발로 부엌으로 사라진다. 여자는 조용하게 코를 골며 옆으로 돌아눕는다. 그날 내내 그는 옷을 벗은 창녀의 소름 끼치는 모습에 대한 생각을 떨쳐버릴 수가 없다.

다음날도 비슷한 리듬으로 흘러간다. 그는 아침에 일어나서 조니의 아침 식사를 준비한다. 조니는 그걸 접시 위에서 식도록 놔두고 그저 커피만 마신다. 첫 번째 조인트를 피우고 회사로 간다. 그는 조니의 식은 아침식사를 먹고 청소를 하고 빨래를 하고 고양이와 테라스에 있는 식물을 보살핀다. 그리고 나면 장보러 가고 나머지 시간은 빈둥거린다. 종종 텔레비전을 보기도 하지만 그리 흥미롭지가 않다. 어떤 때는 걸으러 나간다. 그러면 항상 공원에 가서 마이문과 이야기하러 가게 된다. 원숭이는 사과나 웨하스는 가져가지만 그가 있는 것이 기분이 좋다거나 전에 왔던 걸 기억한다는 등의 표현은 전혀 보이지 않는다. 구석 쪽으로 기어가서는 자신의 진미를 조용하게 먹는다. 감사하는 마음도 호감도 보여주지 않은 채.

조니는 관대하게 그가 필요한 경우에 전화를 쓰도록 제공해주었다. 하지만 그는 전화를 걸 사람이 없다. 텔레비전에서 보는 홈쇼핑 번호나 에로틱 전화 번호를 돌려 상담원과 이야기하고 그러면 적어도 잠시 동안은 혼자 있는 것 같지 않다.

그는 종종 특별한 심부름을 하러 항구의 거리를 다닌다. 거리에서 줄무늬 티셔츠를 입은 미이라를 연상시키는 청년에게서 작은 꾸러미를 건네 받는데, 그 청년은 과묵하고 나미의 뒤쪽만 바라보고 원칙적으로 말을 하지 않아서 그는 그가 벙어리라고 생각한다. 갈색 봉투에 담긴 꾸러미를 주머니에 꽂아 넣고 항구에 있는 부두 위에 앉는다. 커다란 유조선이 떠나가는 걸 바라보며, 적하량이 많아 수면 아래 깊은 곳까지 흘수선을 그리며 물을 뿜어내는 걸 지켜본다. 종종 수영하기 위해 항구를 통해 도시의 해변으로 걸어간다. 어렸을 때 물은 팔레트에서 터어키석 빛깔의 파란색과 사파이어빛깔의 녹색 사이의 색깔이었는데, 지금의 물은 오팔 빛으로 변하고 부패해가는 진흙을 연상시킨다. 물은 이제 너무나 짜서 더 이상 아무런 물고기도 살지 못한다. 마치 바람을 불어넣은 매트리스처럼 그 반짝이는 수면 위에 몸을 뉘울수 있을 것처럼 느껴진다. 그러고 나면 집에서 불쾌한 가려움을 제거하기 위해 오랫동안 샤워를 한다. 한번은 몸 전체에 붉은 반점이 돋아나 그 이후에는 호수에서 수영하는 걸 멈춘다.

여전히 계속해서 수도의 거리를 어슬렁거리며 간이음식점, 오락

실, 담배 연기 가득한 싸구려 술집들을 기웃거린다. 만약 엄마를 만나게 되어 있다면 정해진 시간에 정해진 장소에서 만나게 되리라고 확신한다. 엄마가 어떻게 생겼는지조차도 모르지만 그 순간을 맞이하기 위해 가야 한다는 것은 알고 있다. 이른 아침 거리를 지날 때면 더럽고 헤진 옷을 입고 종이박스 안에서 여전히 자고 있는 노숙자를 보곤 하며, 그들 위에 호수의 정령이 떠다니는 것을 느낀다.

이들은 대부분 우루보르 사람들로 수년 전에 호수를 인공적으로 확장하고 몇 개의 마을이 더 잠겨야 할 필요가 생겼을 때 자신들의 집에서 쫓겨난 사람들이다. 조상들의 묘지에 다닐 수 없게 되었기 때문에 우루보르 사람들은 들고 일어나기 시작했고, 소련 화물차와 건축 기계를 불태웠다. 위대한 통치자는 이들을 제거하기로 마음먹었다고 한다. 살아남았던 사람들과 지금 수도의 거리에서 근근이 살아가는 사람들은 알 수 없는 특수부대가 온 가족과 부족을 화물차에 싣고는 숲으로 가 땅을 파게 하고 그 구멍속에서 그들을 총살했다고 말을 한다. 그는 이 이야기가 콜로스 절벽 안의 금장 칸국의 잠자는 전사들의 전설처럼 믿기지 않는다. 우루보르 사람들은 허상을 믿는 불쌍한 사람 취급을 당하지만 그는 그들과 종종 어울린다. 우루보르 사람들은 텐트나 박스 종이로 만든 처마 아래에서 지내고 취객의 소동이나 싸움에서도 끈 떨어진 뒤웅박처럼 해가 되지 않는다.

저녁에는 자주 조니를 찾는 사람들이 방문하는데 모두 시끄러운 인간의 집단이다. 어떤 때는 디아나 혼자 오거나 어두운 색의 커트

머리를 하고 윗니 사이가 벌어지고 귀에는 커다란 링 귀걸이를 한 여자애가 찾아오는데, 대부분은 조니의 침실에서 시끄러운 교배로 끝이 난다. 어떤 때 조니는 저녁에 전혀 집에 들어오지 않기도 하고 어떤 때는 새벽 3시나 4시쯤 택시가 그를 실어 나르고 그러면 조니는 그를 잠자리에서 끌어내 이야기하길 원한다. 하지만 어떤 때는 침대에 가기도 전에 꼬꾸라진다. 그러면 그는 그의 옷을 벗기고 침대에 눕히고 토하지 않도록 우유를 데워줘야 한다.

조니는 그에게 돈을 주지는 않지만 장보기나 심부름에서 남은 돈은 챙길 수가 있고 무엇보다 잘 곳과 먹을 게보장된다. 조니는 자기가 입던 옷을 그에게 준다. 그거 외에도 조니는 훌륭한 포르노 사진을 가지고 있다. 몇 번이나 손도 대지 않고 비닐봉지에 쌓여 있는 잡지를 그에게 건넨다. 그건 그렇고 침실에서도 조니의 소리가 날이 갈수록 점점 더 드물게 들린다.

그는 조니를 따라 한 국제 정유회사에 속한 고층 빌딩의 최고층에 갔을 때 그곳에 매료된다. 한쪽 벽에서 다른 쪽 벽까지 밝은 빛깔의 카페트가 깔려 있고 벽에는 그림이 걸려있다. 향기가 나고 잘 차려 입은 사람들이 서로 공손하고 조용하게 대화를 나누고 있다. 리셉션 바 너머에는 조니의 포르노 잡지에서 나온 듯한 풍만한 금발 머리 여자들이 앉아있고 책상마다 컴퓨터가 웡웡거린다. 탕비실에는 크롬 빛의 반짝이는 에스프레소 기계가 흥분한 듯 진동하지만 그에게는 커피 내주는 걸 거부한다. 전화들이 울리지는 않지만 조심성 있게 웅웅거린다. 만일 그가 스스로에게 진솔해야 한다면 그는 그 상황이 꿈속에 있는 것만 같았다고 인정해야 할 것 같다.

≈

여름은 특별하게 더웠고 호수는 다른 때보다 더 빠르게 수증기를 내뿜고 있다. 마치 점차적으로 늪으로 변해가는 것처럼.

그는 조니가 권총을 가지고 있다는 걸 알고 난 후 한 번도 그 사실에 대해서 생각하는 걸 멈춰본 적이 없다. 하지만 조니가 산탄총을 가지고 문에 서 있는 걸 보게 되었을 때는 놀라서 딸꾹질까지 한다. 그러자 조니는 짓궂게 웃는다. 나미는 그를 주시하고 조니가 술에 취하지 않고 맨 정신이라고 생각되자 약간은 안심이 된다.

"커피 좀 타, 그러고 나면 오늘 우리가 뭘 하게 될지 말해줄 테니." 조니가 말한다. 목소리에 억누르는 흥분이 느껴져서 나미는 약간 겁이 나고, 조니가 군인 유니폼을 입고 있다는 사실도 그렇다. 마지막으로 유니폼과 라이플총의 조합을 경험한 것은 보로스에서였으며, 그 기억은 아직도 여전히 아픈 가시처럼 그를 잠에서 깨어나게 만든다.

"내가 오늘 우리가 뭘 하게 될지 말해 줄게." 조니는 반복한다.

일이라는 게 무엇인고 하니 도시 자체의 일이라고 조니는 말한다. 시 당국의 친애하는 관리들이 가장 믿을 수 있는 시민들을 선발했다. 물론 그들 중 무기를 소지하고 있고 사냥에 경험이 있는 사람들만이 해당한다. 물론 이 일에 경찰이나 군대가 참여할 수도 있겠지만 그건 전통과 시민정신의 명예에 걸맞지 않은 일일 것이다. 재앙을 막도록 하는 것은 모든 명예로운 남자들의 책임감이다. 그건 우리가 동의하는 거다. 그렇지 않은가? 조니가 말을 할수록 그는 계속 더 혼돈스러웠다. 항구에서 바라보면 한 6마일쯤에 생물학 실험실이 있던 섬이 하나 있다. 그는 분명 그것에 대해 들어 봤을 터다, 그래, 탄저병, 역병, 브루엘라. 브루엘라? 브루넬라, 브루셀라 아니면 뭐 비슷한 그런 거…. 소련인들은 이미 오래 전에 그 기지를 떠났고, 동물들은 운명에 맡겨 내버려두었다. 그 주변을 항해하던 어선으로부터 우연히 들려온 소식에 의하면 그 동물들이 잘 지내면서 그 수가 늘어 그 섬을 점유하고 있다. 개, 양, 쥐 등 모든 게 한 무리이다. 호수의 수면이 낮아지면서 그 해로운 동물들이 육지로 몰려들어와 낯선 질병으로 수도를 심하게 훼손시킬 수 있다는 것이다.

그래서 명예가 있고, 목표물을 무기로 관통 시킬 능력이 있는 모든 남자들이 자기의 의무를 이행할 필요가 있다는 것이다. 조니는 물론 맨 앞에 나가겠지! 오오 케이? 그런데 왜 이렇게 땀이 나는가, 씨발, 이렇게 더운 거야? 그는 고개를 저었다. 아니, 그는 덥지않다. 어떤 빌어먹을 무기에도 장전하지 않을 것이다. 그는 조니의 침대 위에서 포르노 잡지랑 남아있고 싶지만 조니는 그를 내버려 두지 않는다. 그는 그 살상의 생각으로 코카인을 했을 때보다 더 흥분한다. 조니는 그에게 여정에 필요한 고기완자를 만들도록 한다. 그들은 아침 일찍 새벽 동이 트기 전에 길을 나설 것이다.

그는 밤 늦게까지 양고기로 완자를 만든다. 끝을 냈을 때 동쪽에서는 이미 바랜 장밋빛 빛줄기가 비추고 있어서 자러 갈 가치가 없다. 그는 가는 가지로 엮어 만든 바구니를 챙기고 거기에 보드카 3병, 호일에 개별 포장한 고기완자 30개, 구운 빵과 양파 몇 개와 담배 한 보루를 담는다. 부엌의 탁자에서 기다리면서 동쪽 하늘을 바라보고, 멍하니 어제 남은 빵을 씹고는 그걸 다 먹었을 때 부족해서 손가락을 빤다. 4시 15분에 일어나서 조니를 깨우러 간다. 하지만 그는 이미 침대에 앉아서 탄창이 있는 팔찌를 차고 있다. 주머니가 엄청 많은 사냥용 조끼를 입은 모습이다. 약간 정신이 없는 듯 그에게 인사하는 시늉을 하지만 첫 커피를 마신 후에는 다시 부산하게 알아들을 수 없는 말을 지껄이기 시작한다. 이 일은 의무감으로 실행하려는 것이고 민족 전체가 그들에게 감사를 보낼 거라고 그를 납득시키고자 한다.

그들은 항구로 가고 조니는 미친 사람처럼 들떠서 부두로 옮겨간다. 거기에는 이미 수많은 충성스러운 애국자들이 마찬가지로 얼간이 같은 조끼를 입고 바보 같은 얼굴 표정을 한 채 기다리고 있다. 그들은 손에 소총과 사냥용 총을 의미심장하게 흔들고 있고 한 멍청이는 탄창 벨트를 차고 있다. 몇 명은 전혀 자지 않았던 것처럼 보이는데, 눈에는 핏발이 서 있고 취객의 우둔한 표정이 보인다. 남자들은 침묵하고 담배를 피우고 종종 기침을 하거나 침 뱉는 소리가 들린다. 갑자기 보드카 몇 병을 돌려 마신다.

배들은 적어도 12척은 되어 보이는데 그는 숫자를 세는 게 쉽지 않다. 바람이 불고 파도는 하얀 끝을 드러내고 있다.

"이거 구토들 많이 하겠구만"이라고 나미와 조니를 태운 배의 수염 난 뱃사람이 내뱉는다. 이름은 바스카이고 색이 바랜 줄무늬 티셔츠를 입고 있으며 수년간의 바다 경험이 있다.

조니는 그걸 귓결에 듣고는 인상을 쓴다. "이게 무슨 임무인지 도통 알기나 하쇼?"

"그건 임자도 당연히 아는 거 아뇨?" 바스카가 대답하며 웃는다. "중요한 임무! 중요한 거지! 엄청 중요한 거!" 그는 미소 짓는다. 이 뱃사람은 자기 할아버지와 똑같은 눈을 하고 있고, 그리고 누구라도 그를 쉽게 이기지는 못할 것이다. 조니는 벌써 대략 40분짜리 여정이 끝날 때까지 계속 인상을 쓰고 있고 섬이 눈에 들어올 때까지 그러고 있다. 섬이 눈에 들어오자 그는 다시 살아나고 흥분으로 그의 눈이 빛나기 시작한다.

항해동안 갑판 위에서 한 남자가 사고를 당하는 일이 생겼고 큰 파도와 이전에 마신 알코올 때문에 심한 구토를 하는 몇몇 경우가 있었다. 그들의 여정이 왠지 지체되는 것 같지만 머지않아 동이 트고, 생화학 실험에 사용되었지만 아무런 이름도 없는 섬에 도착할 것이다.

그는 잠들지 않으려고 헛되이 노력한다. 고개가 가슴 쪽으로 갑자기 떨어지면 고통스럽게 잠에서 깨어나다가 다시 잠들고 그렇게 반복한다. 조니의 외침이 그를 완전하게 깨운다. "저 괴물들 좀 봐, 아마도 우리를 기다리는 모양인데!"

선착장 기슭에는 정말로 아직은 정체를 구분하기 어려운 동물의 무리가 있다.

"양들?"

"집어 쳐! 개들이잖아, 안경 써라!"

"나는 원숭이가 보이는 걸."

"이런 천치들 같으니, 다들 술 먹은 개 같군."

이제 모든 게 분명하게 보인다. 무리는 실제로 원숭이, 양, 닭, 개로 이루어져 있다. 모든 생물들은 갑자기 사라진 인간들의 복귀를 기다리며 함께 모여 있다. 첫 열에는 개들이 있는데 다양한 종의 열 두서너 마리이고 긴장한 모습으로 꼬리를 흔들며 배가 도착하는 걸 바라보고 있다. 그들 뒤에는 자그마한 체구의 원숭이 두 마리가 정중하게 떨어져 앉아 꼬리를 쥐고 있고, 다음으로는 전형적인 바보스러운 표정의 양들이 있고, 또 물 위에서는 구별할 수 없는 더 작은 피조물들이 있다. 동물들 중 어떤 것도 질병의 특별한 징후가 보이지 않는다.

"저런 건 불가능한데." 뱃사람 바스카는 작은 외소리로 숨을 내뿜는다. "저들은 천국에서처럼 여기서 모두 함께 살고 있잖아. 양 옆에 늑대가 말이지. 등골이 오싹한 걸."

주황색과 흰색 빛깔의 긴 귀를 가진 개 한 마리가 불안한 듯 짖어 댄다. 열광적으로 배를 향해 앞으로 돌진하다가 다시 되돌아간다. 마지막에 가서는 습지가 있는 선까지 다가온다. 발이 진흙에 빠지고는 어렵사리 다시 돌아간다. 나미의 심장이 거칠게 쿵쾅거린다. "도망가, 이 멍청한 새끼야"라고 속삭인다.

"쏘지마시오!" 퇴역 장군이 명령하지만 늦었다. 장군이 말을 끝내기도 전에 첫 번째 총성이 울린다. 놀랍게도 정확한 적중이다. 개는 깨갱 소리를 내며 진흙탕에 쳐 박힌다. 그는 하얀 털이 진흙의 흙빛과 핏빛을 빨아들이는 걸 바라본다. 개의 머리가 점차 진흙 속으로 빠져들고 개의 귀는 여전히 표면에 남아있다. 주둥이에서는 약간의 선홍색 거품이 나온다. 휴스턴 대학 졸업생이고 국제 연맹의 직원인 조니는 나미 옆에서 흥분해서 몸을 떨며 입술을 깨문다. 그는 본의 아니게 조니의 약점을 보게 된 것이고, 만일 그가 발기하는 걸 보게 된다면 속이 거북할 것이다.

그는 승객용 벤치에 앉아 무릎 위에서 꼭 붙들고 있는 탄약이 든 나무상자를 뚫어지게 응시하고 있다. 그 위에는 무슨 글자가 찍혀 있는데 읽을 수가 없다. 기슭에는 공포가 팽배해 있다. 개들은 꼬리를 당기고 빠르게 사라지려고 한다. 양들은 같은 음으로 매매하는 울음 소리를 내면서 마치 한 마리인 것처럼 모두 함께 높은 절벽 쪽으로 몰려간다. 원숭이들은 겁을 먹은 채 서로를 끌어안는다. 남자들은 배에서 뛰어내려 기슭으로 걸어서 가다가 진흙탕에 발이 빠지고 욕지거리를 한다. 동물들이 다 도망가 버려서 그들이 총을 쏠 기회를 놓쳐버릴지도 모른다는 두려움에 진저리를 친다. 퇴역 장군은 지휘하려고 노력하지만 그 소란을 극복하지 못한다.

"무엇보다 저 짐승들을 만지지 마시오! 접근하지도 마시오. 저들은 감염되었소!"

아무도 장군의 말이 들리지 않고 들으려고 하지도 않는다. 그러는 사이 양들은 마치 불도저로 그들을 몰아대는 것처럼 절벽의 정상 쪽으로 몰려간다. "매애매애매애." 비명을 지르고 그 속에서 인간의 한탄소리가 들리는 것 같다.

"그만!" 그가 소리친다. 귀를 먹게 하는 집중 포화 속에서 아무도 그에게 주목하지 않는다. 조니는 이미 오래전에 배에서 내렸고 그의 시동이 그를 따르지 않는다는 것조차 알아차리지 못했다.

그러는 사이 무리의 본능이 양들을 계속해서 더 더 밀어 대고 앞에 서 있는 양들이 절벽에서 진흙탕으로 떨어지기 시작한다. 철썩하는 큰 소리를 내며 떨어진다. 대부분은 다리가 부러져 진흙에서 빠져나오질 못하고 절박하게 울며 소리친다. 안타깝게도 그 진흙 구덩이에서 벗어나는 걸 성공한 양들은 눈깜짝할 사이에 그 위로 떨어지는 다른 양들로 인해 더 깊이 처박힌다.

협상이라는 전술을 선택한 두 마리 원숭이는 제일 먼저 들려 나간다. 도망치려하지 않은 대가는 즉각적인 최후였다. 방금 전까지 포옹하고 앉아있던 그 자리에는 핏떡과 털이 남아있다. 그는 배 위에서 눈꺼풀을 단단히 고정한 채 몸을 움츠리고 있다. 바스카는 말 없이 담배를 피우고 있다. 섬 위에 있는 사내들의 산병선이 멀어져 가고 그 자리에는 진흙과 피의 발자국을 남긴다. 멀어져 가는 남은 동물들의 무리는 마치 피로 만든 붉은 공이 터지는 광고의 장식처럼 빛을 발한다. 거리를 두고 민방위의 자원봉사자들이 검은 작업복에 얼굴에는 마스크를 쓰고 뒤를 따르고 있다. 이들은 커다란 검은 포대에 죽은 동물들을 모으고, 그 후에 커다란 소각용 가마에서 그걸 태운다.

"저들 몽땅 그 탄저병이나 걸렸으면 좋겠구만." 저격수 그룹이 언덕 뒤쪽으로 사라지자 바스카가 말한다. "여하튼 나는 저들에게 응급처치는 안할거야."

그가 언급한 예지력은 곧바로 나타난다. 언덕 뒤에서 두 남자의 실루엣이 나타난다. 그들은 아침의 햇살 속에서 피범벅이 된 평지를 건너 세 번째 남자를 옮겨오고 있다. 진흙탕에서 발을 끌며 가장 가까운 배 쪽으로 그를 옮기고 빨리 배가 출발하도록 했다. 그리고 무전기로 부두에 앰뷸런스를 대기시키도록 한다. 그는 한 10미터 정도의 거리에서 남자를 훑어본다. 옆구리의 상처에서 피를 흘리고 있고 머리는 다른 쪽으로 돌아가 있다. 의식이 없는 모습이 예전에 할아버지가 양의 목을 땄을 때의 모습처럼 보인다. 저항하던 힘은 빠져나가는 피와 함께 사라졌고 점차 조용한 체념이 그 결의를 대신했다. 그는 총상 입은 남자는 살아서 배 위에도 다다르지 못하리라는 걸 알아챈다. 하지만 그 안에서 만족감을 발견하는 게 아니라 그저 분노만을 발견한다.

"저자는 죽었네." 뱃사람 바스카가 코멘트를 하고 그는 고개를 끄덕인다. 망자를 실은 배는 천천히 수도로 돌아가는 여정을 위해 출발한다.

"저 사람을 호수의 정령에게 바치지 않습니까?"

그가 물으며 아랫입술을 잡아당긴다.

"이보게, 바치지 않아." 바스카가 말하며 물에 침을 뱉는다. "저 사람을 도시의 영안실로 옮기고 장례식을 한 후에 묘지에 구멍을 파지. 여자들은 통곡하면서 그 구멍으로 뛰어들어 간다고 하겠지만 겁낼 필요는 없어, 그 여자들이 정말로 그렇게 생각하는 건 아니니까."

"그럼 정령이 화를 내실텐데요."

그는 이해할 수 없다는 듯 말한다.

"그렇겠지!" 뱃사람이 웃으며 어깨를 으쓱해 보인다.

"저거 봐, 벌써 금장한국 사람들이 돌아오네."

언덕 뒤쪽으로부터 사냥꾼들이 드문드문 돌아오고 있다. 처음 세 명은 함께 큰소리로 떠들고 있지만 다른 사람들은 침묵한 채 혼자 혹은 둘씩 오고 있다. 태양은 이미 거의 정상에 올라있어서 대략 열 시쯤은 되었을 것이다. 덥기 시작하자 사냥용 조끼를 걸친 남자들은 땀을 흘린다. 몇몇 사람들은 피가 튄 자국이 보이고 속눈썹이 없는 깡마른 한 남자는 바지에 구토 자국이 있다. 위생담당 작업조가 체계적으로 기슭을 청소하고 있어서 진흙탕에 빠진 양들을 제외하고는 더 이상 동물의 사체는 보이지 않는다. 퇴역 장군은 모두가 도착하기를 기다리면서 얇은 궐련을 끽연한다. 그러는 사이 남자가 목숨을 잃었다는 소식이 번져 나갔고 사람들은 슬픔에 조금 더 깊게 빠져든다. 퇴역 장군은 모두 주목하게 하고 일 분간 묵념을 지시한다. 남자들은 모자를 벗고 헛기침을 하며 가래를 뱉는다.

"승선한 부대여, 임무를 완수했다. 제한된 범위의 손실 안에서, 축하하는 바이다! 쉬어!"

≈

그는 이미 조니의 거미 같은 모습을 주시하고 있다. 조니는 기슭을 따라 걸으면서 나미를 찾고 있다. 긴장은 이미 사라졌고 그의 어깨는 피곤한 듯 앞으로 쳐져 있다. 곱슬머리는 관모 아래에서 축 처져 있고 그의 얼굴은 땀범벅이다.

"나미!" 결국 소리친다. "나미야, 어디 있어. 이 개새끼야?!"

그는 숨을 들이쉬고는 탄약이 든 박스와 음식이 든 바구니도 비켜 놓는다. 그리고 배에서 뛰어내렸는데 물이 가슴까지 찬다. 배를 따라서 뱃머리 쪽으로 가고 거기에서 바스카가 바구니를 건네고 그는 그걸 머리 위로 들고 진흙탕을 건넌다. 걷기가 어렵다. 매번 다리가 철썩 소리를 내며 빠진다. 한 발걸음 나아가려고 시도할 때마다 동화 '커다란 무'가 생각난다. 진흙은 악취가 난다. 여기 호수 속에 그의 가까운 사람들이—할아버지와 함께 있는 할머니가—있건만 그들은 그에게 아무것도 드러내 보이지 않는다. 지금은 그냥 도시의 부두에서 수건을 깔고 누워서 수면 위에서 빛나는 태양을 바라볼 수 있을 뿐 다른 것은 불가능했다.

"너 어디 있었어?! 이 새끼야, 어디 있었냐고?!" 진흙탕에서 버둥거리는 그를 보자마자 조니가 고함을 지른다. 그는 입을 다물고 턱에 힘을 주고 있다.

"어떻게 넌 내 옆에 서있지 않은 거지. 이 빌어먹을 새끼야, 내가 부상당했으면? 죽었으면? 내가 널 먹여 살리고, 입히고. 근데 넌 이렇게 날 배신해?!"

나미는 진흙탕을 걷고, 조니에게 충분히 가까워지자 그의 가슴을 밀친다. 조니는 중심을 잃고 흔들거린다. 뒤쪽으로 몸이 구부러지고 발이 진흙 속에 콘크리트처럼 박혀 있어 뒤쪽으로 물러나는 데 실패하고는 털썩 주저 앉는다. 하지만 그러는 사이 바구니는 가슴 쪽으로 옮겨 지켜내는 데 성공한다. 남자들이 웃는다.

"간식이 도착했다." 조니가 승리에 찬 모습으로 웃으며 바구니를 머리 위로 들어 올리고 그에게 조용히 으르렁댄다. "우리 일은 나중에 해결하자."

"아뇨." 그는 말하며 어색하게 일어난다. 바지 뒤쪽은 냄새나는 진흙으로 뒤범벅이 되고, 상황전체가 그가 품위 있게 거기서 벗어나지 못하게 만든다.

"아뇨, 지금 해결하죠."

조니가 놀라서 쳐다보지만 그는 온 힘을 다해 어깨로 그에게 돌진한다. 조니는 신음하며 진흙에 납작 쓰러진다. 한 손에는 총을 다른 쪽에는 음식이 담긴 바구니를 들고 있어 넘어지는 걸 막을 수 없다. 철퍼덕 큰소리를 내며 넘어지고 진흙이 사방으로 튄다. 조니는 넘어질 때 관모가 벗겨져 아름다운 곱슬머리는 오팔색으로 변하고 있는 갈색 진흙이 둘러붙는다. 호일로 쌓은 양고기 완자가 마치 깨진 온도계에서 쏟아져 나온 수은 알갱이처럼 진흙탕의 표면을 따라 구른다. 갈대밭 어디에선가 놓쳐버렸던 오리 한 마리가 꽥 소리를 내며 날아오르고 사냥꾼 중 한 명이 노련하게 명중시킨다. 새는 부드러운 소리를 내며 멀지 않은 곳에 떨어진다.

조니는 힘겹게 몸을 일으키는데 얼굴이 비뚤어져 있는 듯 아래턱이 들어맞지 않는다.

"내가 너를 배려해주마." 이빨 사이로 으르렁거린다.

"내가 열을 세고 그러고 나면 총을 쏘기 시작할 거야."

조니는 탄창을 챙기려고 허리춤에 손을 가져가 장전하기 시작한다. 카운트를 하기 시작하는데 너무 빨리 카운트를 한다. 그가 기슭에 다다르기 전에 이미 일곱이다. 그는 온 힘을 다해 뛰고 이 상황이 실제라는 걸 알고 있다. 진흙으로 무거워진 다리 때문에 점점 힘이 들고 양쪽 다리에 각각 수박 한 덩이를 옮기는 것 같다. "아홉"이라는 소리를 들었을 때 그는 진로를 살짝 바꾸기 시작한다. 조니는 두

발을 쏜다. 그는 직진으로 달리며 열을 세고 그러는 사이 조니는 장전하고 다시 발사하기 시작한다. 그는 다시 방향을 튼다. 다른 사내들이 즐겁게 조니를 응원하는 소리가 들린다. 여섯 발의 총성이 울린 후에 그는 언덕의 등선 쪽에 도착하는데, 이 순간이 조니가 명중시킬 수 있는 마지막 기회이다.

총성이 옆에서 휘파람 소리를 내고 그 총알은 진흙 속에 처박혀 손이 들어갈 정도의 큰 구멍을 만든다. 그는 믿을 수 없는 고함을 내지르고 땅에 넘어져 언덕 뒤편으로 굴러 떨어진다. 마치 개처럼 빠르고 얕게 헐떡이며 숨을 쉬는데, 산소가 충분하지 않다. 목을 잡고 하늘을 바라본다. 머리 위에서 하얀 어린양이 하늘을 따라 조용하고 침착하게 지나간다. 그리고 잠시 후에 숨을 돌릴 정도로 차분해진다. 마른 알리숨이 피어 있는 잔디의 아래쪽에서 조심스럽게 내다본다. 조니가 따라오지 않는 게 보인다. 그는 총대에 기대고 서서 한쪽 손을 귀에 대고 있는 게 십중팔구 전화를 거는 것일 게다.

$$\approx$$

그는 오랫동안 몸을 웅크리고 옆으로 누워서 구름을 응시한다. 자신의 몸에서 진흙이 마르고 딱딱해지는 걸 느낀다. 도시로 다시 영웅들을 실어 나르는 배가 시동을 거는 소리가 들린다. 마침내 혼자이며, 그는 외딴 섬의 로빈슨 크루소이다. 동물도 없고, 나무도 없고, 질병으로 오염된 곳이며 그 이름은 발음할 수조차 없다. 그 사실이 현기증이 일게 해서 그는 스스로 그것에 대해 생각하는 걸 거부한다.

그는 일어나 언덕 꼭대기에서 내려온다. 섬은 그리 크지 않으며, 북서쪽에서 남동쪽으로 펼쳐져 있고 한쪽 언덕에서 다른 쪽까지 가장 긴 거리는 1킬로미터를 넘지 않는다. 작은 부두가 만들어져 있고 살인부대가 정박했던 남동쪽 끝은 완전히 텅 비어 있다. 하지만 섬의 다른 쪽은 검은 위생복 차림의 위생 담당조가 아직도 마무리를 하고 있다. 그들이 송장벌레처럼 꿈결에서 일하듯 천천히 움직이는 걸 보면 작업이 고된 게 분명하다. 부두에서 멀지 않은 곳에 실험실이 있던 회색 빛의 콘크리트 건물이 서 있다.

실험실 앞의 기둥에는 원래 어떤 색이었는지 알아볼 수 없는 오래된 깃발의 찢어진 조각이 깃대의 중간쯤 걸려있다. 건물에는 이미 창문이 전혀 없거나 문이 경첩에 간당간당 달려있다. 덩굴 식물 하나가 창문을 통해 건물 안으로 들어가는 길을 발견했으나 그 안에서 생장의 힘을 잃고 말라 있었다. 출입구의 문은 단단하게 쌓여 있는 먼지덩이 때문에 꿈쩍도 하지 않는다. 위에는 불그스레하게 색이 바랜 글씨가 적힌 명판이 보인다. **최고의 생물학적 위험지역에 진입하니 주의하시기 바라며, 안전 수칙을 준수하시기 바랍니다!!!** 문 뒤쪽에 깨어진 유리 안에는 안전 지침이 걸려있다. 바닥의 먼지 속에는 수십 개의 동물 발자국, 과자 봉지들, 빈 농축 우유 깡통 등이 널려 있다. 복도의 모든 문 위에는 플라스틱 덮개에 쌓인 경고등이 있고 예전에는 **빨간빛이었겠지만** 지금은 수리할 수 없을 정도로 깨져 있다. 복도에서 호박벌이 시끄럽게 윙윙거리며 나미 등 뒤의 문을 통해 밖으로 날아간다.

몇몇 장소에는 우리와 테라리엄이 놓여 있고, 그것들 중 몇 개는 여전히 잠긴 채이다. 거기에서 있었던 동물들은 죽음을 맞이했을 테지만 어머니 자연이 그들을 보살피시어 뼈조차 남아있지 않다. 실험실에는 육중한 스테인레스 테이블, 플렉시 글라스가 없는 플렉시 글라스 우리, 양철 캐비닛, 유리가 깨진 진열장과 같이 옮기기 힘들었을 무거운 것들만 남아있다. 나미의 발 밑에서 깨진 실험실의 유리가 반짝거린다.

그는 학교 다닐 때 실험실 수업을 신나했고 시험관과 피펫을 손으로 만지는 걸 좋아했다. 그는 수도에는 이렇게 하얀 가운을 입고 소독한 깨끗한 손으로 더 나은 사람이 일할 거라는 생각이 들었다. 그는 소켓과 서류 보관소 주변을 어슬렁거리지만 쓸모 있는 걸 하나도 발견하지 못한다. 벽에는 모서리가 접히고 찢겨 나간 포스터가 걸려있다. 거기에는 통치자의 모습과 그의 새로운 인간을 위한 '8계명'이 적혀 있다. 그는 그게 이 실험실 전체에서 가장 위험한 것이라고 여긴다. 철제 서랍을 꺼내서 통치자의 포스터를 향해 세게 던진다.

"쓰레기!" 라고 소리친다. 그는 그 소리가 맘에 들어 다시 한번 반복한다. 이번엔 좀 차분하게 그리고 학교에서 자비로운 통치자에 대한 시를 낭독할 때처럼 약간의 비장함을 가지고 반복한다. 통치자가 슬프게, 거의 울 것처럼 쳐다본다.

탈의실로 사용된 장소에서는 어떤 옷가지도 발견하지 못했는데 단지 한 칸에서는 긴 흰색 드레스를 발견한다. 맨 처음에 그는 그게 실험실용 가운이라고 생각했으나 가까이서 보니 가벼운 합성 섬유로 되어있다. 그리고 치맛자락에 황금색 실로 가장자리를 꾸민 주름 장식이 달려있는 여성용 드레스였다. 드레스는 먼지가 앉아 전체적으로 회색 빛이지만 한 가지는 변함없는 사실이다. 그것은 웨딩드레스이다. 비슷한 걸 입고 보로스의 모든 소녀들이 결혼을 했고, 거기에 더해 머리에 자수와 술로 장식된 뾰족한 모자를 썼다. 누가 이런 절망으로 가득한 섬에서 이런 결혼식을 생각했었고, 또 그걸 위해 웨딩 드레스를 준비했을까?

나미는 탈의실 옷장의 열린 문에 이마를 대고 눈을 감고 소매의 주름 장식에 손을 대본다. 합성 섬유의 조직이 거칠지만 상관없다. 그 주름 장식 너머 자기 신부의 손을 느낀다. 그 손은 부드럽고 미세하게 솜털이 느껴지고 그는 기대감으로 떨린다. 그 소녀의 얼굴을 떠올리려고 노력하지만 되질 않고 그 소녀는 얼굴이 없다. 그는 그저 좀벌레를 막기 위한 나프탈렌의 냄새와 동물의 체취가 섞인 먼지 냄새만을 희미하게 느낀다.

어디에서도 물은 흐르지 않는다. 그는 자기 손바닥을 펼쳐 바라본다. 더럽고 핏자국이 있고 떨고 있다. 몸에서 냄새가 난다. 그는 건물 앞에서 펌프를 발견하고, 펌프는 몇 번의 불그스레한 트림 후에 갈색의 얇은 물줄기를 흘러 내보낸다. 그는 이런 광란의 날에 나타난 자신의 행운을 믿을 수가 없어서 미친 사람처럼 펌프질을 하고 그러면서 미친 사람처럼 웃는다. 그 우물 물은 호수의 물처럼 오염된 것일테지만 그래도 깨끗해 보인다. 그는 옷을 벗고 어렵사리 펌프 밑에서 온몸을 씻는다. 그러고는 햇볕에 알몸으로 눕는다. 미칠 듯한 갈증을 느낀다. 잠이 든다.

그는 허기져 잠에서 깨고 태양은 이미 수평선에 가까워 있다. 피부가 가렵고 입안의 혀는 돌처럼 까끌거린다. 그는 또 다른 걸 인지한다. 선박의 짧고 끊어지는 고동 소리. 부두로 천천히 어선 하나가 지나가는데 그가 타고 왔던 그 배와 비슷하다, 그래, 더군다나 그 배에는 비슷한 이름이 적혀 있다. 베르카. 배의 키 뒤에는 아침에 그를 이곳으로 데려왔던 바스카가 서있고 그는 인사하듯 대충 손을 흔든다.

그는 재빠르게 자기 걸 모두 챙겨서 부두 쪽으로 뛰어간다. 뱃사람을 향해 힘차게 손으로 흔든다.

"어이구 알았어. 자네가 보인다고." 그는 웃음기 없이 말한다. "이봐, 내가 자네 때문에 돌아왔어."

"진짜요?" 그는 배의 난간에 다리 한쪽을 걸친 채 멈칫한다. "나 때문에 돌아왔다고요?"

뱃사람은 가볍게 그의 등을 때린다.

"무엇보다, 여기서는 문제 만들지 마쇼. 깨끗한 걸로 입을 거 좀 찾아보고."

그는 짧고 씁쓸하게 하지만 공손하게 웃는다. 그들은 거의 목가적이고 섬으로부터 천천히 멀어져 간다. 그는 이 모든 것이 그저 꿈이었던 게 아닌지 불분명하다.

"그 미친놈들 절반은 경찰놈들이야."

뱃사람이 말을 한다. "법조인 두 명, 부시장, 나머지는 군대에서도 받아주지 않는 콤플렉스 가득한 쓰레기들이지. 암 그렇고말고. 하지만 친구, 어디에다가 하소연을 하겠어. 지금부터는 조심하는 게 좋아. 아이고, 선실로 가봐, 거기 옷장 속에 대신 걸칠 만한 옷가지가 있을 거야."

나미는 어부용 작업복 상의와 유포로 만든 작업복 바지를 발견하고, 둘 다 나프타 냄새가 나지만 오히려 익숙한 그 냄새가 마음을 놓이게 한다. 그건 깨끗하고 공업적인 냄새이다. 바지가 흘러내려 허리춤을 끈으로 묶는다.

그는 배 위의 어업용 그물 더미 위에 앉아서 높지 않은 물결이 배에 부딪히는 걸 바라본다. 이 상황에 대해서 생각조차 하기 싫다. 한가지 분명한 것은 이 뱃사람이 그를 구했던 호수 정령의 형상들 중 하나라는 것이다. 지금 그는 키에 기대 서있고 엔진을 반 정도로 줄여 놓고, 약하게 기침을 하고 있다. 능숙하게 배를 조종하지만 배의 모터가 호수 속에 현저하게 늘어난 해초에 걸리지 않도록 주의하며 천천히 나아가야한다.

"오른쪽 옆을 조심하세요." 그가 소리친다. 뱃사람은 고개를 끄덕인다, 그래, 나도 보고 있다. 주변으로 양의 사체가 떠간다. 털이 진흙 색이고 다리를 위쪽으로 뻗고 있다. 양이 웃고 있는 것처럼 보인다. 눈을 크게 뜨고 있다. 바스카는 오랜 흡연자의 기침을 심하게 한다.

"만약 저 양이 정말로 뭔가 심각한 게 있었다면 이 짐승들이 호수 전체를 오염시킨 꼴이야."

침을 뱉으며 조금 더 가속한다. 베르카호는 마치 이 순간을 오래 기다렸다는 듯이 뛰어 오른다.

"자네를 어디로 데려가는지 아나?"

고개를 젖는다.

"이봐, 자네는 운이 좋아. 자네를 올드 레이디라는 사람에게 데려가는 중인데, 벌써 기다리고 있을 거네. 그 부인을 위해 집안의 보수일을 하는 한 친구를 아는데 그를 통해서 알렸지. 자네가 어떻게 그 쓰레기를 진흙에 쳐 박았는지 그리고는 어떻게 피해 달아났는지. 자네에 대해 모든 걸 얘기했고 그러자 올드 레이디가 자네를 알고 싶어한다는 군."

"올드 레이디가 누구예요?" 그가 잠시 뒤에 묻는다. 바스카는 고개를 저으며 침을 뱉는다.

올드 레이디는 저명인사에 속했다. 담쟁이 덩굴로 덮인 울타리 넘어 예전에 세워진 도시의 빌라들 중 한 건물에 살고 있다. 그 빌라는 허물어져가는 건물 정면에 소유자의 이니셜이 적혀 있고, 사과 나무, 아몬드 나무, 석류나무, 무화과 나무와 줄기가 마른 넝쿨 장미가 들어차 있는 정원이 있다. 오늘날 이 빌라들은 간선도로 옆이나 쓰러져가는 쇼핑센터 벽 옆에 서있는데 여전히 예전의 부귀영화의 시대를 간직하고 있다. 그때는 자기 석유 갑부들이 탄생했던 시기였다. 누군가 땅을 발로 차면 석유를 찾아냈고 5미터 높이의 원유가 분출했으며 이걸 통제하는 데 몇일이 걸렸다. 이런 거물들 중 한 명이 올드 레이디의 아버지였다. 그녀는 딸 셋 중 막내딸로 영국인 여성 가정 교사에게 교육을 받았고 파리에서 유학했으며 그곳에서 우아하고 화려한 사교적인 행사와 누구나 꿈꾸던 그런 모임들에 참석을 했다.

오늘날 올드 레이디의 얼굴은 구겨진 종이처럼 주름살이 패여 있다. 나이 들면서 별로 유쾌하지 않은 목소리로 변해가는 대다수 여자들의 목소리와는 다르게 그녀의 목소리는 거침없고 어딘가 테너의 느낌마저 있다. 나미는 그 목소리를 들었을 때 깊은 강 속에서 듣는 것처럼 여겨졌다. 마디가 굵어진 긴 손가락에는 커다란 알이 박힌 금반지를 끼고 있다. 머리는 일주일마다 집으로 찾아오는 미용사가 케어 해주고 있다. 올드 레이디는 일요일을 제외하고 매일 아침 식사 후에 반 시간 정도 피아노를 연주한다. 그러고 나면 편지를 쓴다. 일요일에는 부모님과 두 언니가 잠들어 있는 묘지에 다녔다. 올드 레이디는 노처녀였지만 그 말 그대로를 믿는 사람은 아무도 없었다. 자기 약혼자를 전장에 보냈고, 그때부터 그 약혼자는 편지를 썼지만 얼마 뒤에는 멈췄다. 그래서 그녀는 오랫동안 슬퍼했다. 그녀는 사망한 사랑하는 약혼자에게 영원히 결혼하지 않겠다고 약속했을 때 슬픔이 잦아 드는 걸 느꼈다. 그리고는 저명한 남자들과 많은 연애 사건이 있었고, 심지어 초창기 도시에서 몇 년 동안 지냈던 통치자와도 스캔들이 있었다고 한다.

한때 뭔가 한자리 했던 도시의 저명한 인사 누구나가 그녀의 살롱으로 모여들었고, 아름다운 무늬를 넣어 짠 직물로 된 암록색의 벽지에 기대어 강한 터키 담배의 재를 사자의 발 모양을 하고 있는 청동 재떨이에 털면서 그네들의 운명에 대해 불평했다. 올드 레이디는 그들의 하소연을 들어주었고 이해한 듯 고개를 끄덕여주거나 기운 차리도록 조언을 했다. 이 집에—몇몇 다른 집들과 마찬가지로—도시의 재야 행정부가 모였고, 인간 운명에 대한 대안적 섬유를 짰으며 불확실한 상황에 대한 집단적인 해결책을 찾았다. 또한 민감한 상황에 놓인 소녀들과 고아들을 위한 비형식적인 재단이 생겨났다.

이런 살롱들 중 하나에, 더러운 작업복을 입고 허리에는 어제 묶였던 그 줄을 그대로 묶은 채 지친 모습으로 그가 등장한다. 고기잡이 배가 그를 도시로 데려올 때의 모습 그대로였다. 모임에 참여하는 사람들은 검은 옷을 입고 있었는데 살롱에는 하얀 담배 연기 구름이 걸려있고 축음기에는 탱고 음악판이 연주되고 있다. 닳은 목소리의 어떤 여자가 사랑하는 애인이 매일 밤 자기 여자에게 돌아갈 때의 찢어지는 마음을 노래하고 있다. 거기에 바이올린과 피아노가 울부짖는다. 음악은 긁힌 판 때문에 튀는 소리가 섞여 흘러나오고 그는 이런 판의 소리를 태어나서 처음으로 듣는다.

그는 그들을 훑어보았을 때 즉각 누가 이 모임의 우두머리인지를 알아차렸다. 그녀의 모습은 나긋나긋해 보이지만 예리하고 등은 곧으며, 비록 류머티즘으로 다소 불편해 보이지만 동작은 느긋하고 완숙하다. 코가 두드러져 보이고 눈꺼풀은 늘어져 있고, 레이스가 달린 검은 색 옷을 입고 있고 가슴에는 진주 장식의 브로치를 달고 있다.

"이쪽으로 오렴"이라고 말하며 그의 얼굴을 매만진다. 손은 건조하고 따뜻한데 매만지는 느낌은 연마지로 문지르는 것 같다. 그 손은 할머니를 생각나게 하고 나미는 그녀가 만질 때마다 고양이처럼 반응한다. 그녀가 자신의 손바닥을 나미의 얼굴에 대고 있을 때 그는 그녀를 그의 턱과 어깨 사이에 끌어안는다. 올드 레이디는 놀라서 웃고, 손을 떼기까지 그와의 그 공모하는듯 한 공감의 상황이 잠시 지속된다. 담배냄새가 난다.

"멋진 음악입니다."

그가 말하자 그녀는 기침이 섞인 웃음을 터뜨린다.

"맞는 말이야. 감상적이고 저속하지만 멋지지."

그는 침묵한채 무슨 말을 해야 할지 모른다. 그는 감상적인 게 뭔지 저속한 게 뭔지 모른다.

"배고프니?"

그는 고개를 끄덕인다.

올드 레이디는 레이스 달린 옷을 입은 여자에게 지시하고 그녀는 올드 레이디를 향해 머리 숙여 인사한다.

"볘르카, 이 아이에게 따뜻한 우유 좀 가져다 줘. 거기에 그루지야 코냑 약간 넣어주고, 콩소메도 데워주고."

볘르카는 약간 원망스럽게 그를 쳐다보지만 이내 따뜻한 우유를 가져다 주고, 그걸 마시자 나미는 띵하니 어지럽다. 콩소메라는 것이 간으로 만든 작은 고기 완자와 엄청 작은 당근이 떠다니는 평범한 맑은 스프라는 걸 알게 된다. 하지만 무지무지 맛이 있어서 그는 더 달라고 요청한다.

"넌 용감한 청년이야. 메달을 받는 게 마땅하지만 요즘 시대가 이상해서 영웅적 행동보다 허튼 짓을 더 쳐주는구나. 넌 여전히 세상에 옳은 것에 대해 가치를 인정할 줄 아는 사람들이 존재한다는 걸 꼭 알아야 한다. 그렇지 않나요, 내 친구들(mes amis)?"

살롱 안에 있는 반 다스 정도의 사람이 웃는다. 목에 깃털을 두른 한 부인이 히스테리적으로 박수를 치기 시작한다. 올드 레이디는 그녀에게 더 이상 마시지 말도록 주위를 준다.

"친구여, 자네의 건강을 위하여!"라고 외치며 작고 땅딸막한 남자가 잔을 치켜든다. 나미는 후에 그가 산부인과 의사이고 도시의 4

분의 1이 그의 손에 의해 태어났다는 걸 알게 된다.

그는 당황해서 기침을 한다. "무슨 오해가 있는 게 아닌지 모르겠습니다." 그는 자신에게서 정말로 어떤 소리가 나왔는지 불분명한데, 하여간 사람들이 그의 말을 경청하는 것 같은 생각이 든다. "그건 진흙탕에서 멋지게 한바탕 싸움을 벌인 것이지 전혀 영웅적인 게 아니었습니다."

"혁명이 벌써 작은 불꽃을 일으키고 있어요"

히스테리 부인이 소리친다.

"이보세요, 누가 부인에게 커피 좀 타주세요. 마르타, 이젠 그만 마셔요. 아니면 여기서 내보낼 겁니다"라고 올드 레이디가 말한다. 히스테리 부인이 휘청거린다.

"혁명?" 그가 놀란다.

"훗!" 올드 레이디가 손을 젓는다. "혁명은 무슨! 마르타가 그냥 떠드는 거지, 만약 네가 깨끗이 씻는다면 오늘 밤은 여기서 보낼 수 있도록 하지. 그리고 나서는 어디 두고 보자구나."

베르카는 동의하지 않은 얼굴 표정을 지었지만 이내 나미에게 지시를 하고, 그는 엄청 긴장한 채 그녀를 따라 위층으로 간다. 그는 머리가 어찔어찔하고 베르카의 큰 엉덩이가 그의 눈앞에서 온 세상을 덮는 커다란 얼룩처럼 어른거린다. 베르카는 꽃무늬 타일에 황동으로 된 세간들과 청동으로 된 다리가 있는 욕조로 그를 데려간다. 수도꼭지에서는 물이 흐르고 몇 개의 경우 물때가 끼고 녹이 슨

것도 있다. 목욕탕에서는 오랫동안 느끼지 못했던 민트와 초여름 꽃들의 향기가 난다. 베르카는 욕조의 반 정도로 물을 채우고 거기에 적당한 양의 거품을 푼다. 그는 천천히 욕조에 몸을 담그고 물이 점차 차가워지는 줄도 모르는 듯 움직임이 없다. 결국 잠이 든다.

아침에 올드 레이디가 그를 찾아오고, 직접 아몬드 밀크를 가져온다. 침대 위 그의 옆에 앉아 나미가 그걸 마시는 걸 미소 지으며 바라만 본다. 그녀는 본인의 따뜻한 손바닥을 나미의 손에 얹고 그는 눈을 감는다. 침대로 아침햇살이 쏟아지고 그는 잠시 안전함과 걱정 없음에 대한 환상을 만끽한다.

그러자 올드 레이디는 피아노를 연주하는 살롱으로 나간다.

이틀 더 침대에 누워 움직이지도 않고 먹지도 않고 불쌍하게 잠만 잔다. 그는 처음으로 이발소에 갔던 일, 처음으로 골을 넣고 너무 좋아하다가 그 와중에 골문에 갈비뼈를 부딪혔던 일, 처음으로 잠수했고 동시에 수영을 배운 일, 처음으로 할아버지의 배를 운전해본 일, 처음으로 반딧불을 잡았고 할아버지가 그걸 그의 이마에 붙였던 일 등에 대해 생각한다. 평화의 날 행사와 빛 바랜 유니폼을 입은 소련 사령관과 그물에서 튀어 오르는 은빛 생선에 대해서 생각한다. 이전에 벌어졌던 모든 일들을 떠올린다. 할아버지가 익사하기 전에 대해, 호수의 정령이 할머니를, 소련 야만인이 자자를, 노처녀가 니키티츠의 팔을 취하기 전에 대해서 생각한다. 그는 눈물없이 울고 있다.

삼일 째 되는 날 올드 레이디가 찾아와 근엄하게 표정을 짓는다.

"칭얼대는 건 충분했어."라고 말한다.

"일어나거라, 정원에서 네가 해줄 일이 있어."

그는 침묵한다. 정원에서의 일에 대한 상상, 아니 더 이상 할 수 있는 어떤 일이건 간에 중요하지 않고, 쓸데없고, 가치가 없다. 표정 없이 올드 레이디를 바라본다. "의미 없습니다." 그는 결국 말을 뱉는다. "하고 싶지 않아요."

"하고 싶지 않아? 정찰병들이 지금 쳐들어와서 너를 철창에 가두려고 한다면? 여기 누워서 계집애처럼 울어 댈테냐?"

"무슨 정찰병 말이죠?"

"그렇지 무슨 정찰병? 넌 항상 그들을 조심해야해. 아니면 일주일은 굶어서 무슨 짓이라도 하겠다는 자포자기한 인간을 네 부엌에서 갑자기 부딪히는 경우를 생각하거나 날조된 범죄로 너를 밀고하는 친구들의 배신도 고려해야 하고. 얘야, 넌 항상 도망가거나 싸울 준비가 되어있어야만 한단다. 이래도 침대에서 안 나오지, 그래?"

"무슨 정찰병들이요?" 고집스럽게 반복한다.

"자, 넌 내가 통치자의 연인이었다는 걸 들었을 게다. 그렇지? 그가 통치자가 되기 전에 질풍노도의 시간이 있었고, 그때도 그는 야망에 찬 사람이었고, 동시에 잘 생겼고 젊음의 열정으로 가득한 사람이었지. 그때 나는 아주 어렸고 그가 날 매료시켰지. 그래, 맞아, 그에게 흠뻑 빠져들었고 그런 일이 나 이전에도 많은 사람에게 일어났지!" 그녀는 목소리를 높였다.

그녀는 말을 멈춘 채 잠시 창문을 통해 정원을 바라본다. 그러고 나서는 손을 내젓는다.

"너도 그랬을 걸. 바로 저기 그 선반에 있는 붉은 색 책을 건네주렴. 그래 그 전래동화집."

나미는 그녀에게 책을 건내 주고는 다시 누워 이불을 덮는다. 올드 레이디는 그 책을 잠시 무릎에 놓아두더니 이내 뼈만 앙상한 손으로 검붉은 책을 만지고는 책장을 펼친다. 먼지가 살짝 떠올라 침대 위로 날린다. 올드 레이디는 책장을 넘긴다. 금장 칸국에 대한 동화가 나오는 페이지에서 잠시 머뭇거리고는 책장을 넘긴다. 거기에는 황금으로 장식된 외투를 걸치고 뾰족한 모자를 쓰고 말 위에 앉아있는 영웅의 멋진 모습이 담긴 컬러로 된 삽화가 있고 그 옆에 작은 흑백 사진이 있다. 올드 레이디는 잠시 그 사진을 쳐다보고는 그걸 그에게 건넨다. 사진에는 기름을 발라 살짝 뒤쪽으로 넘겨 얇은 끈으로 머리를 묶은 키가 크고 잘생긴 남자가 소년같은 알 수 없는 표정을 하고 있다. 그의 곁에서 한 소녀가 에나멜 구두를 신고 무릎 길이의 주름치마를 입고 그에게 기대어 턱을 세우고 렌즈를 향해 미소를 유지하며 한 손은 허리에 올리고 있다. 어두운 머리칼이 약간 흐릿해 보이는데 사진 셔터를 누르는 순간 머리를 움직였거나 바람이 불었던 모양이고 이에 반해 그녀의 파트너는 평온하게 서있다. 사진의 배경에는 침엽수가 서있고 나귀가 지나가는 먼지나는 길이 보인다.

"예쁘셨네요." 그는 의무감으로 말을 하고 사진을 그녀에게 돌려준다.

"고맙구나, 하지만 기관에서 바라지 않는 바였지." 올드 레이디가 웃는다. "어느 날 저녁에 우리는 함께 파리로 갈 계획을 세웠지. 그런데 다음날 알 수 없는 반문외한인 남자들 무리가 문을 박차고 들어와서는 그의 사진과 편지 모두를 내게서 빼앗아 갔어. 이건 내가 잘 숨겨 두었던 거고. 세 번째 날에는 혼자 숨어있어야 해서, 처음에는 침대 밑에 그런 다음에는 지인 집에 숨었었지. 왜냐하면 나의 존재가 통치자를 지나치게 폭로하게 되는 셈이었기 때문이었어. 그래, 나를 세상에서 없애 버리려고 했었던 거야, 뭐가 놀랍겠니?"

그는 침대에 앉아 침대 머리판에 등을 기대었다. 사실 그는 올드 레이디를 그렇게 주목하고 있지 않았다. 나무로 된 블라인드를 통해 들어오는 아침햇살이 그의 눈앞에서 아른거리는 그림자를 어떻게 벽에 드리우는지 주시하고 있었다.

"넌 내가 만약 이렇게 한탄만 하고 있었다면 살아남았을 거라고 생각하니?"

나미는 영혼없이 어깨를 으쓱해 보인다.

"그는 중앙본부로 떠났고 그의 커리어는 로켓처럼 날아올랐지. 그는 통치의 핵심 당원으로의 특성을 지닌 중앙 위원회의 멤버이자 인생을 발레, 노래, 피겨 스케이팅으로 처바른 한 못생긴 귀부인과 결혼했어. 너는 이런 일들이 나를 망가뜨리지 않았다고 생각하니? 내 심장에 폐허의 먼지가 뿌려지는 느낌이 없었을 거 같아? 산채로 매장된 느낌이 없었을 거 같냐고? 살면서 더 이상 그로부터 말 한마디 들은 바가 없었지. 그 후에는 적어도 나를 내모는 걸 멈췄고 마침내 그가 죽었고 지금 나는 평화롭단다."

올드 레이디는 쉰소리로 기침을 하고는 침묵했다. 그녀는 사진을 동화책에 도로 꽂아 넣고 책을 다시 선반에 놓았다. 치마를 세심하게 펴서 정돈하고는 방에서 나가다 문가에서 다시 돌아섰다.

"자, 나미. 침대에서 볼기짝을 떼고 일어나서 옷 입고, 밥 먹고 일 시작해라. 그러고 나면 네 엄마의 일에 대해서 얘기해 볼 수 있겠지."

그는 올드 레이디의 정원에서 아름다웠던 옛 모습처럼 그렇게 다시 보일 수 있도록 일을 하고 있다. 관목들은 잘라내고 잡초를 뽑아버리고 땅을 고르고 봄에 꽃과 허브를 심을 화단에 비료를 주고 나무를 전지한다. 그런데 물을 주는 게 어렵다. 이 지역에는 아침과 저녁에만 물이 흐르고 정원에서 물을 사용하는 건 금지되어 있다.

저녁에는 살롱으로 도시의 지식인들, 반체제 인사들, 지난 세기 연극계의 불가사이한 인물들과 같은 너무나도 다양한 사람들이 모여 정치와 지속 불가능한 사회의 상태에 대해 끊임없이 말을 쏟아 낸다. 대부분의 고양이가 그러는 것처럼 그는 안주인의 의자에서 잠이 들고 올드 레이디는 그냥 내버려 둔다. 매일 아침 아몬드 우유나 꿀이 든 레몬 에이드를 들고 와 그에게 잠을 잘 잤는지 묻는다.

그녀의 눈썹은 살짝이 뽑은 모양으로 풍성해서 젊은 여자의 눈썹 같다. 그리고 나면 올드 레이디는 살롱에서 피아노를 연주하고 그는 경청한다. 마치 그 방의 시간은 굳어버린 듯하다. 먼지는 공기를 타고 살포시 떠다니다가 고급천을 덧대어 만든 가구 위와 아름다운 무늬의 침대보에 내려앉고, 장들은 나프탈렌과 백단향 나무의 향기가 난다.

그는 아침에 일어나 아침을 충분히 먹고 (대개의 경우 엄청 배가 고파서 창고의 바구니에 있는 복숭아 1킬로, 하얀 밀빵 큰 거 한 덩어리, 계단 밑의 물과 함께 치즈 한덩어리, 체리 시럽을 곁들인 쿠스쿠스 등 집에서 발견하는 걸 다 먹어 치운 후) 정원으로 가서 나무를 자르고 넝쿨장미를 제초한다. 땀을 흘리고 더러워지고 몇 번이나 다치고 손의 마디는 멍이 들지만 그는 일이 꽤 재미있다는 생각이든다. 그래서일까. 기진맥진 할 때까지 일을 한다. 집에 돌아오면 올드 레이디는 하얀 장갑을 끼고 깃털로 된 숄을 걸치고 극장으로 간다. 그렇게 엄마에 대한 얘기를 피해간다.

"오늘 잡초로부터 장미를 구했습니다." 한번은 그가 말한다. "내가 전혀 눈치 못 채고 거의 파버릴 뻔했어요."

"그래? 정자 옆에 있는 거 말이니?" 올드 레이디가 말한다. 그녀는 나미가 그녀를 알게 된 이후 처음으로 어딘가 약간 균형이 깨진 듯 보인다.

그는 끄덕인다.

"그럼 꽃이 피어나거든 내게 와서 말하려무나. 지금은 내가 서둘러야 해서 말이다."

며칠이 더 지나도 그들 중 어느 누구도 그의 엄마에 대해 언급하지 않는다. 그는 새로운 굳은살이 생길 만큼 열심히 일을 하고 올드 레이디는 정신없이 옷장을 정리한다.

베르카는 올드 레이디와 나미와 마당에 걸려있는 밍크 가죽옷과 모직 코트 사이를 강아지처럼 당황한 듯 뛰어다니며 아무도 그녀에게 말을 하지 않는다고 한탄을 한다.

그는 아무것도 묻지 않는다. 엄마를 찾는 것은 진실이 가장 가까운 막 뒤에 있어서 그걸 그저 벗겨버리면 된다는 걸 아는 것과는 다른 것이다. 그는 자동 조타장치처럼 작동한다. 일할 때는 작은 소리로 수를 세거나 학교에서 배웠던 애국적인 시들을 중얼거린다. 아무 말도 못할 정도로 녹초가 되어 집으로 돌아오면 빠르게 씻고 곧장 침대로 가 나가떨어진다. 올드 레이디는 마치 한 번도 엄마라는 말을 해본적이 없다는 표정을 짓지만 정보를 수집했다는 것은 보여준다.

그는 대체 올해가 무슨 해이고 사실상 수도에 얼마나 오랫동안 살았는지 감을 잃었다. 하지만 올드 레이디가 따뜻한 우유잔을 들고 그의 침대에 앉는 그날 아침은 분명 9월 초이고 한 달 뒤 생일이라는 것은 확실하게 알고 있다.

"나는 분명 네 엄마가 누구인지 안단다." 올드 레이디가 갑자기

말문을 연다. 마치 앞에 한 대화를 이어 나간다는 듯이. 나미는 그녀를 바라보며 침묵하지만 머리에 담요를 뒤집어쓰고 싶다는 생각이 든다. 블라인드가 만들어내는 벽의 그림자가 지금은 현저하게 흐릿해졌고 빠르게 움직인다.

"너 열일곱이지, 그렇지?"

그는 어깨를 으쓱한다. "아마도요. 아마 그럴 거예요."

"그렇지, 18년 전에 보로스로부터 임신한 채로 수도에 온 소녀는 그리 많지 않았고 그 애는 너무 겁을 먹어 말을 하지 않았지."

그는 우유가 든 컵을 잡고는 말없이 자기 앞으로 가져간다.

"네 엄마 이름은 마리에 안나란다."

올드 레이디는 그에게 어떤 감흥을 주었는지 보기 위해 말을 멈춘다. 그는 마치 그녀의 말을 듣지 못한 것 같은 표정을 짓는다.

"언젠가 밤기차를 타고 여기로 왔지. 마을의 천치가 그녀를 강간한 이후였어."

그는 말이 없다. 그저 입을 꼭 다물고서 비어 있는 우유 잔의 바닥만 쳐다보고 있다.

"그냥 단순한 얼간이였고 어여쁜 소녀를 보자 욕정이 생긴 거고 그래서 단순하게 … 그녀를 덮친 거지. 그게 보로스에 알려지자 무슨 일인지 그 놈은 끝이 안 좋았다고 해. 뭐라고 하더라? 호수의 정령? 그래, 그게 그놈을 잡아갔다지."

그는 말이 없다.

"마리에 안나가 여기로 왔을 때, 너무 충격을 받아서 아무와도 말을 하지 않는 상태였다고 하더군. 우리 집과 친분이 있는 의사 집 안에 맡겨졌고 거기서 집안일을 도우며 지냈지. 몇 주가 지난 이후에 그녀가 임신을 했다는 걸 알았고, 의사 선생님이 아이를 받아서 ―그러니까 너를―보로스의 조부모에게 데려갔지."

그는 무감각한 듯 앉아 있지만 잠시 후에 고개를 끄덕인다.

"잘 들어봐. 이 사실이 그렇게 나쁜 건 아니란다. 이런 경우는 수도 없이 많아. 새로 태어난 많은 아이들이 호수에서 생을 마감하는 경우가 다반사야. 그리고 보면 네 경우는 잘된 거지."

"그런데 어째서 그 사람이 내 엄마인 거죠?" 그가 말을 자른다. "우리 엄마는 분명히 평범한 얼간이가 강간하도록 두지 않았을 거예요."

올드 레이디는 말이 없다.

"더구나 저는 보로스에서 그런 얘기를 들어본 적이 없어요." 그는 목소리를 높인다. "한 번도! 그런 멍청한 얘기를!"

그의 눈 앞에 세 개의 붉은 삼각형이 번뜩이고 갑자기 그게 생각난다.

"게다가요! 우리 엄마는 말을 잃어버리지 않았어요! 난 엄마가 내게 강아지라고 부르고 노래를 불러주던 걸 기억해요. 우리 엄마는 말을 했다고요!"

"나미?"

"왜요?"

"보로스에서 나미란 이름을 가진 남자애가 몇 명이나 되니? 너 빼고?"

"몰라요." 조용하게 말한다. "아마 없을 거예요."

올드 레이디는 그의 어깨에 손을 얻는다.

"그래. 그 당시 그 남자아이가 바로 그 이름이었어. 나미."

그는 강하게 손바닥을 눈에 대고 그렇게 몇 분인가가 흐른다.

"어디 있어요? 그 여자? 지금 어디 있죠?"

≈

그는 저잣거리와 노동 암시장 주변을 지나 마이문을 보러 다닌다. 원숭이는 우리 안에 있고 보통은 제일 구석에 앉아있다. 원숭이는 무관심한 듯 그에게서 땅콩을 가지고 다시 구석으로 돌아가 오랫동안 그걸 까먹는다. 마이문의 생식기는 온통 빨갛고 긁힌 듯하다.

그는 돌아오는 길에 부두 주변과 조니 집 주변을 거닐며 둘러본다. 마침내 파국을 맞아 몰락을 앞두고 있는 걸 보기를 기대했던 것과는 반대로, 조니는 검은 폴라티에 선글라스를 끼고 있으며 생생하고 젊어 보인다. 그는 야생 고양이처럼 가볍게 땅을 디디고 그의 머리칼은 바람에 날린다. 나미의 숨이 가빠진다. 그는 뭔가 여전히 끝나지 않았음을 감지한다.

님프 Nymfa

03

쿠체는 사막 중앙에 위치한 마을로 수도에서 이곳으로 가려면 버스
로 먼지 날리는 길을 열한 시간 가야한다. 마을을 따라 넓은 목화밭
에 물을 대는 수로가 흐르고 있다. 몇 년 전에 호수로 흘러 들어가는
데레강 물줄기를 돌렸다. 그의 시선이 닿는 모든 곳이 온통 눈 내린
듯한 목화밭으로 끝없이 펼쳐져 있다. 목화, 목화, 목화. 그는 버스
에서 내려 긴 길을 걸어 간 후 의자에 앉아 있는 한 여인 옆에서 시
간을 보내고 있다. 그 여인은 머리에 스카프를 두르고 무릎에는 아
픈 아이를 안고 기진맥진 한 듯 먼지를 뒤집어쓰고 앉아 있다.

　마을은 비어 있고 음료수 판매대와 마찬가지로 조합 매점은 문
이 닫혀 있다. 그는 인적이 없는 마을을 어슬렁거리며 창문을 들여

다보고 문을 두드려보고 문고리를 돌려본다. 십분 뒤에는 다시 버스정류장으로 돌아온다. 그를 데려온 운전기사가 버스 계단에 널브러져 뚱뚱한 다리를 벌리고 앉아서 냄새나는 갈색 담배를 피우고 있다.

"이보게, 목화 수확철이야, 모두가 들판에 있지" 그는 나미 쪽으로 연기를 내뿜고는 갈색 침을 먼지 속에 뱉는다.

"모두라니요? 전부 다요?"

"그렇다니까, 아무도 핑계대지 못해, 누군가는 아흔 살이거나 한쪽다리나 한쪽 눈만 있거나 할 수 있겠지, 그래도 목화 수확 철이면 들판에 가서 뺑이쳐야 돼. 아이가 있는 엄마도 그렇고 시장도 마찬가지지. 저녁이면 모두 돌아오니까 잠시 기다려보게."

쿠체는 보통의 마을로, 마을 광장 주변으로 삼십여 채의 집들이 하얀 벽과 물결치는 양철 지붕을 하고 직사각형으로 길게 규칙적으로 늘어서 있다. 그리고 광장의 중앙에는 반쯤 말라버린 뽕나무도 있고 그 옆에는 콘크리트 받침 위에 청동으로 된 통치자의 흉상이 있는데 아마도 이런 작은 마을에서 전신상을 만들기에는 돈이 없었을 것이다. 흉상 아래에는 반 다스 정도의 닭들이 먼지를 뒤집어쓰고 있다. 마을 끝에는 목화를 말리고 누르는 양철로 된 홀들이 있는 농장건물이 있고 그 앞에는 부서진 화물차가 주차되어 있다. 양떼다. 뭘로 살아가는지는 신만이 아시겠지. 마을에는 공공의 조명시설은 없고 전화선이 있는 전신주는 있다.

공기는 마치 아무것도 함유하고 있지 않을 듯 맑기만 하다. 단지 검은 사막 모래의 먼지 층만이 대지 위에서 가볍게 몸을 떨고 있다. 머리 위로는 푸른 하늘이 눈이 부셔 쳐다볼 수 없을 정도이다.

버스기사는 베개를 들고 마을에 있는 유일한 나무 아래로 천천히 걸어가서는 낮잠을 자려고 눕는다. 버스 앞문은 열어 둔 채로 두고, 누가 여기서 뭘 훔치겠는가? 잠시후에 그는 시끄럽게 코를 고는 소리를 듣는다.

그는 먼지 날리는 길을 따라 마을에서 다시 관계 수로 쪽으로 걸어간다. 멀리서도 그게 초록 엉겅퀴로 경계 지어져 있음을 알아차린다. 수로의 왼 편에 있는 사막은 메말라 있고 멀리 지평선까지 몇몇 말라버린 나무들이 보인다. 오른 쪽은 보이는 곳 끝까지 목화 꽃의 하얀 솜털이 가득한 땅이 펼쳐져 있다. 데레강에서 끌어온 수로는 일 년에 두 번 목화 재배를 가능하게 하는 기적을 만들었다. 어디에나 붙어있는 선전용 포스터에 따르면 말이다. 3미터 너비의 콘크리트 관계용수용 수로 안의 물은 움직임이 없다. 깨끗하지도 차지도 않지만 그래도 시원하다. 그는 가방을 던져 놓고 바지단을 접어 올리고 수로로 들어간다. 생각했던 것보다 더 깊어서 바지가 젖는다. 그런 와중에 물은 그를 기쁘게 만들고 비록 물이 탁하고 약간 냄새가 나더라도 그는 웃음이 나온다. 수로를 이리저리 대략 100미터쯤 오간다. 바닥은 해초와 얇은 진흙층 때문에 미끄럽고 종종 무엇인가 날카로운 걸 밟기도 한다.

그는 수로 옆 메마른 풀 위에 앉아 베르카가 삶아준 마지막 계란 세 알을 먹어 치운다. 기지개를 펴며 먼지를 들이 마시다가 햇볕이 따가워 눈을 감는다. 그는 몇시간 후에 깨어나는데 얼굴이 햇볕에 그을리고 머리가 아프다. 눈을 가린다. 태양은 이미 뉘엿뉘엿해지고 있다. 길을 따라 서쪽에서 먼지구름이 가까워오고 그게 붉게 물들어간다. 목화 수확인들이 집으로 돌아오고 있다. 그는 전율한다.

$$\approx$$

용달차 한 대에는 남자들이, 두 번째에는 여자와 아이들이, 세 번째와 네 번째에는 목화자루가 실려 온다. 사람들이 화물차에서 내리기 시작한다. 그들은 말이 적고 먼지를 뒤집어쓰고 있고 피곤해 보인다. 그들 사이에는 강보에 쌓여 어머니의 등에 업힌 어린아이를 포함하여 다양한 연령의 아이들이 있고 노파들, 노옹들, 놀랍게도 생산력 있는 나이대의 남자들은 적었다.

그는 용달차에서 내리는 여자들을 응시하며 그들의 얼굴에서 마지막으로 14년 전 보았던 낯익은 요소를 찾는다. 그리고 응어리를 안은 채 자신의 이복동생이 될 수 있는 아이들을 모두 훑어본다. 마침내 나미는 그녀를 노래 소리로 알아차린다. 여자가 그를 쳐다보는데, 갑자기 아무런 확신이 들지 않는다. 저 얼굴은 기억 속의 모습과 완전히 다르다. 변화 무쌍한 기억들! 가장 크게 놀라게 하는 건 그녀의 눈이 파랗다는 것이다. 그녀는 나이 들어 보인다. 머리에는 흰 머리카락들이 있는데 정말로 머리가 센 것인지 그저 먼지가 내려앉은 것인지 말하기가 어렵다. 여자는 시선을 되돌려 용달차의 차대를 잡는다.

아이들은 마을로 향해 흩어져 달아나며 여자들은 자신의 집으로 향하고 남자들은 곧바로 간이 음식점으로 가 첫 번째 독주를 주문한다. 이곳 사람들은 빠르게 짖어 대듯 말을 하는데 마치 뭔가 입에 담을 수 없는 분노를 품기라도 한 것 같다. 그는 이 때문에 마음이 약간 답답하다. 보로스에서는 천천히 노래하듯이, 조용하게 말을 했으니까.

버스기사는 나무에 등을 대고 담배를 피우고 있다. 잠시 후에 도시로 돌아가는 길을 떠나겠지만 혼자 갈 것이고 어쩌면 다른 마을에서 누군가 그 길에 동참할지도 모르겠다. 그는 그녀의 동작이 나이든 여자처럼 보인다고 생각한다. 살짝 굽힌 팔꿈치를 몸에 가깝게 붙이고 등은 약간 굽어 있는데 고개를 숙인 모습은 그 매력적인 세 개의 삼각형일 수가 없다. 그는 이십 미터 정도의 거리를 두고 따라간다. 그녀의 조용한 흥얼거림이 그를 끌어당기고 나미의 머리는 요동친다. 뒤쪽에서 버스가 출발하는 소리가 들린다.

여자가 출입문에 도착했을 때—유일하게 초록색으로 칠해진 문이다—돌아서서 그를 쳐다본다. "이리오렴" 그에게 손짓한다. "차 한잔 대접할게" 그 순간 그녀가 이빨이 몇 개 없다는 것을 알아차린다. 숨을 참으며 어두운 복도로 그녀를 따라 들어간다. 한편에는 코트가 걸린 옷걸이가 있고 그 밑에는 특별한 날 신는 신발 한 켤레와 덧신 한 켤레가 보인다. 다른 편에는 양파, 토마토, 파슬리 다발, 가지 등이 있는 선반이 있다. 그는 신발을 벗고 거처의 유일한 공간으로 들어간다. 그 공간은 어둡고 놀라울 정도로 춥고 수도원의 독방처럼 단순하다. 바닥은 진흙으로 되어있고 창문은 작게 높이 달려 있다. 침대에는 면으로 된 담요와 자그마한 둥근 탁자와 의자 두 개가 있다. 반대편 벽 옆 쪽에는 철로 된 덮개가 있는 오픈형 난로가 있고 그 위쪽 벽에는 굴뚝으로 연결되는 벽돌로 만든 홈통이 있다. 벽에는 호수의 모습을 담은 작은 사진이 걸려 있다. 당시 호수에는 아직 물이 가득하고 그 주변에 나무들이 자라나 있다.

여자는 조니가 캠핑용으로 가지고 있던 것과 비슷한 작은 가스레인지에 몸을 숙여 주전자를 올려놓는다. 벽에 기대어 물이 끓기 시작할 때까지 말없이 차 주전자를 바라본다. 그리고 나서 주전자에 찻잎 몇 개와 알 수 없는 향신료 가지를 넣고 설탕을 한 스푼 듬뿍 넣는다.

그는 이 모든 게 현실 같지가 않았다. 아찔한 현기증이 눈앞에 아른거렸다. 두 사람 사이에 침묵이 흐른다. 나미는 뚫어지게 그녀를 바라보고 그녀는 잠시 바라보다 시선을 돌린다.

"왜 나를 버렸나요?" 마침내 말을 한다. 하지만 그건 마치 그의 머릿속에서만 그렇고 밖으로는 아무 말도 나오지 않았다. 그래서 반복하는 게 좋을 거라는 생각이 든다. 목젖은 먼지로 답답하고 목소리는 나오지가 않는다.

"나미" 그녀는 자신이 내뱉은 이름에 놀란 것 같다. 눈 속에 놀라움이 번진다. "나미" 반복한다. "나미"

그는 차가 담긴 뜨거운 잔을 손바닥에 대고는 단단히 잡는다.

"다시 한번 말해 주세요." 조용하게 말한다.

"반복해줘요."

그러자 여자는 반복한다. 계속해서 똑같은 말을 연이어 한다. 얼굴은 거의 제정신이 아닌 듯한 표정을 하고 달아난 17년 동안 만큼을 반복하려는 듯 이름을 말한다. "나미나미나미나미나미나미나미나미" 그게 만트라 같기도 하고 멜로디 같기도 하다. 나미는 그녀의 얼굴에 눈물이 흐르고 먼지로 뒤덮인 얼굴에 눈물길이 만들어지는 걸 바라본다. "자" 마침내 그는 말을 하고 일어나서 그녀를 안는다. 그녀에게서 옛날처럼 향기가 나는데 그는 그걸 그냥 알 수 있었다. 어색하게 그의 주변에 팔이 감긴다.

"신이시여, 너 이렇게 컸구나. 이렇게 컸어!" 그녀가 믿을 수 없다는 듯 말을 한다. "어떻게 이렇게 클 수가 있니?"

나미는 웃으면서 조심스럽게 그녀를 침대에 앉히고 그녀 쪽으로 무릎을 꿇고 손을 잡는다. 그렇다, 어머니가 있다. 다른 모든 사람처럼 진짜 엄마가 있다. 그 사실이 그를 믿을 수 없는 경외감으로 가득 채운다.

"빨간색 수영복 입었었죠, 투피스로 된 거." 그가 말을 한다.

"너 그걸 기억하니?"

"내가 토했었고 엄마가 내 머리를 잡아 줬었죠."

엄마가 웃는다.

"지금은 거기에 더이상 해변이 없어요. 호수가 말라가거든요."

그녀는 고개를 끄덕인다. "저 어처구니없는 목화가 모든 물을 빨아들이지."

그리고는 잠시 침묵한다.

"할머니랑 할아버지는 돌아가셨어요, 정령과 함께 계시죠. 집에는 조합장이 살고 있고, 난 학교를 못 끝냈어요."

그녀는 그를 뚫어지게 쳐다보며 말한다. "하지만 네가 날 찾았잖니, 우리 강아지. 어떻게 네가 날 찾을 수 있었니?"

당연한 것이지만 그는 여자와 함께 머무른다. 그녀는 그에게 계속 '여자', 경우에 따라 '그녀'이다. 그녀를 엄마라고 부르는 게 주저된다. 종종 허공에 대고 시도해봐도 말이다.

여자는 집 밖으로 뛰어나가고 잠시 후에 어딘가에서 양다리고기와 민트가 섞인 쿠스쿠스를 가지고 온다. 조용히 그의 눈에 눈물이 차오를 때까지 먹는다. 그는 여태까지 이렇게 맛있는 음식을 먹어본 적이 없다는 생각이 든다. 여자는 흡족한 듯이 그를 바라보며 침묵한다. 나미의 턱에 기름이 흐른다. 그는 힘겹다. 마치 금방이라도 의자에서 떨어질 것 같은 생각이 들었는데, 곧 정말로 몸의 통제를 잃기 시작하고 천천히 바닥 쪽으로 몸을 옮긴다. 여자는 머리 밑에 쿠션을 대주고 그가 바닥에 편히 눕도록 탁자를 옮긴다.

그리고 나서는 앉아서 무릎에 손을 얹고 오랫동안 그를 쳐다본다.

"네가 이렇게 크다니. 그리고 강하고. 그리고 이렇게 잘생기고."
조용히 속삭인다. 나미의 눈에 그녀의 모습이 흐려진다. 머리가 어
지럽지만 마침내 잠을 잘 수 있다, 마침내 끝났다.

밤 동안 다시 양다리 전부를 게워낸다.

≈

여자는 아침에 동이 트기도 전에 다시 나간다. 탁자 위에 요구르트
와 꿀이 담긴 접시를 놓아둔다. 하지만 그는 팔을 들 힘조차 없고 하
루 종일 누워있다. 좁은 창문을 통해 들어오는 햇살이 그의 눈을 두
드리지만 그는 몸을 돌릴 힘도 얼굴을 가릴 힘도 없다. 땀을 흘리고,
머리에서 콧구멍으로 그의 뇌가 흐르는 것 같다. 드디어 엄마를 찾
았는데 지금 죽다니 이건 운명의 아이러니이겠지만 어쩔 도리가 없
다. 여자가 들판에서 돌아오기 전에 분명 죽을 것이다.

여자가 돌아왔을 때 무엇보다 먼저 환기를 시켜야 한다. 잠깐 동
안 그녀는 정말로 그가 숨을 쉬지 않는다는 생각이 들지만 그가 미
세하게 눈을 뜬다.

"우리 강아지" 말을 하며 그녀의 눈에 눈물이 차오른다.

그는 맥없이 무릎에 머리를 대고 누워있고 그녀는 그에게 숟가
락으로 페퍼민트 차를 먹이고 조용히 노래를 불러준다. 그러다 지
쳐 잠이 든다. 다음날도 같은 패턴으로 반복한다. 그는 거의 통제
불능으로 그녀가 돌보도록 내버려 둔다. 몇시간 동안 말 한마디 하

지 않으며 그에게 달큼한 차를 마시게 하고 요강을 비우고 땀이 밴 침구를 갈아준다. 아침에 들판에 나가지만 오후에는 돌아오고, 근심 가득한 얼굴을 하고서 문 대신 색색의 구슬이 달려있는 문설주로 들어와 보살피기 시작한다. 몇 주가 흐르자 날이 짧아지고, 그에게서 모든 힘을 빼내던 무더위도 점차 지나간다. 그는 여자가 매번 돌아온다는 확신이 들자 조금씩 건강을 회복하기 시작한다. 침대에 앉아서 단답형 대답을 하지만 아직 움직이기에는 다리 힘이 충분하지 않다. 종종 마을의 나이든 여자들 중 한 명이 나미를 보러 오고 양고기스프나 쌀로 만든 수플레를 가져오고, 나무뿌리나 포플러나무의 긴 가지 같은 것을 가져오곤 한다. 나미는 머리를 끄덕이며 여자에게 나지막한 목소리로 이야기한다. 오랫동안 벽에 있는 호수의 사진을 쳐다보고는 다시 머리를 끄덕이며 한 숨을 내쉬고는 떠난다.

"무슨 말을 했죠?" 그가 묻는다.

"아무 말도" 그녀가 답한다.

어느 날 그녀가 행복한 표정을 하고는 그를 깨운다. 그의 옆에 무릎을 꿇고 앉아 갈색 종이에 쌓여 있는 무엇인가를 들고 있다.

"우리 강아지, 생일 축하해!" 살짝 떨리는 목소리로 그녀가 말을 한다. 그렇다, 나미의 생일이다. 언제 마지막으로 생일을 챙겼는지 기억이 나지 않는다. 그는 눈을 비비고나서 상점의 포장지를 뜯는다. 그 속에는 선명한 노랑색의 코끼리 인형이 쌓여 있다.

여자는 어깨를 으쓱해 보이며 미안한 듯 웃어 보인다. "여기 조합 매장에서는 다른 거 뭐 살게 없어서."

"고마워요." 그가 말한다.

"밭에서 돌아오면 캐러멜 크림을 만들어 줄게."

"고마워요, 엄마."

≈

시월 말에 목화는 수확이 다 되었고 엄마는 더 오랫동안 집에 머무른다. 양탄자를 짜고 집 뒤에 작은 정원을 만들고 본인이 관리하는 도서관에 다닌다. 도서관은 조합 매장 옆에 위치한 곰팡내나는 어두운 장소로 추수철이 아니면 일주일에 세 번 문을 연다. 엄마에게 추파를 던지는 농사꾼 한 명을 제외하면 나미만이 도서관을 찾는다. 그는 굶주린 야수처럼 책을 읽는다. 도서관에 비치된 책들이 그렇게 많지 않기 때문에 줄 별로 왼쪽에서부터 오른쪽 순서대로 책을 읽어 나간다. 그는 민속설화, 허접한 소련 추리소설과 선전용 소설까지 읽으며, 목화 농업에 대한 안내서도 한권 읽는다.

그는 엄마가 책 선반을 오가며 먼지털이로 먼지를 터는 동안 도서관의 딱딱한 의자에 앉아 한 제목에 이어 다른 제목을 삼키고 있다. 그녀는 종종 움직이다가 멈춰 서서 몸을 돌려 그를 바라보고는 살짝 고개를 젖는다. 나미는 그녀를 주시하며 그녀와 뭔가 공통점이 있는지 찾는다. 그러다가 불현듯 그가 그렇듯 그녀의 왼쪽 얼굴에 웃을 때 살포시 보조개가 피는 걸 보게 된다. 그녀의 말이 가끔 전형적인 우루보르식으로 지르는 면이 있음에도 그가 그러듯이 그녀의 억양은 보로스식으로 노래하는 듯하다. 이런 것들로 나미는 그가 생각했던 것보다 훨씬 더 많은 면을 찾아냈다는 만족을 한다. 자기 진짜 엄마와 산다는 것, 이게 정말 기적같은 일이다.

그는 회복되자 주변 여기저기를 둘러보기 시작한다. 처음에는 마을 주변을 둘러보지만 점차 행동 반경은 넓어지기 시작한다. 땅은 몹시 메말라 있고 지역에는 몇 해 동안 비가 오지 않는다. 한번은 눈에 보이는 지평선 끝 절벽 쪽까지 걸어가고, 거기에서 나무 몇 그루가 있고 아래쪽에는 숲의 관목이 자라고 있다는 것을 확인한다. 그 사실이 그를 놀라게 했고 즐거운 마음으로 웃기 시작한다.

그건 그렇고 이렇게 그에게 좋은 일들이 지속되는 게 가능은 할까? 그저 완전히 조용하고 지루한듯 평범한 삶을 사는 게 가능하기는 할까? 호수의 정령이 마침내 지쳐서 그를 주시하는 걸 멈추는 게 가능은 할까? 마침내 그를 좋아하는 사람과 함께 살아가고 종종 스스로 무엇인가를 결정할 수 있는 게 가능은 할까? 그는 그저 작은 걸로 충분한데. 예를 들어 산책을 가거나 마을의 사내애들과 축구를 하거나 침대에 누워 눈이 아플 때까지 천장을 바라본다든가. 아니면 언젠가 다시 안개를 보게 된다든가. 정말로 이런 자잘한 행복의 조각만으로도 완전 충분할 것이다.

그는 이끼 위에 눕고 거기에서 작은 덩굴월귤 열매를 발견한다. 그걸 모아 주머니에 넣고 엄마에게 가져온다. 집에 도착했을 때는 이미 어두워졌다.

"자" 그는 말하며 주머니를 털어 내용물을 손바닥에 올려 놓는다. 덩굴월귤 열매는 얼음 구슬처럼 얼어 있다.

"시장님이 파종이 시작되면 너도 이제 밭에 나가야 한다고 말했어." 엄마가 말을 하는데 그는 답하지 않는다. 신발을 벗고 바로 차를 따른다.

"당연히 네가 완전히 건강해지면" 엄마가 덧붙인다.

그는 고개를 숙이고 곁눈질로 그녀를 쳐다본다. "사람들이 엄마가 실어증이었다고 하던데."

"그건 사실이야." 엄마가 말하며 옷소매로 얼굴을 문지른다. 매번 그렇듯 주름 속에는 여전히 사막의 먼지가 들러 붙어있다.

"내가 쌀로…."

"그 얘기 좀 해봐요." 그가 그녀 말을 자른다.

엄마는 머리를 젓는다. "쌀로 수플레를 만들어 줄게."

그녀는 양내장과 덩굴월귤로 쌀 수플레를 만든다.

≈

날은 짧아지고 확연하게 추워진다. 그는 아침에 덧신으로 발을 꽁꽁 싸매고 사막으로 나간다. 목화밭은 수확이 끝나서 풀이 자라나 있고 땅은 쟁기질이 되어있어 고요하다. 겨울의 공기는 특별한 광채가 있고 평범하지 않은 음향적 특징도 있다. 마치 작은 금속 조각으로 소리를 낼 때처럼 더 멀리까지 더 선명하게 전달된다. 길에서

겁 없는 개가 따라온다. 뛰어노는 모양과 발을 보니 아직 강아지인 것 같다. 그는 말없이 놔두다가 가끔 작대기를 던지고는 강아지에게 명령을 한다. 강아지는 그가 뭘 원하는지를 정확하게 알아차린다. 하루는 개를 집으로 데려오고 엄마의 반대에도 불구하고 복도에서 자도록 한다. 처음으로 둘 사이에서 의견이 충돌했고, 그는 물러서지 않겠다고 결정한다.

어느 날 밤 그는 고함소리와 말소리에 깨어난다. 침대에서 벌떡 일어나 마을의 광장 쪽으로 달려나간다. 이미 손전등과 램프를 들고 나온 우루보르 사람들로 가득한데, 사람들 사이로 잠옷을 입은 아이들이 뛰어다니며 소리를 지르고 있다. 그것은 살포시 내리는 비로, 그걸로 웅덩이가 생기지는 않겠지만 마을 사람들은 기쁨으로 충만해지기 시작했다. 모두들 옷을 벗고 마치 하늘에서 만나가 떨어지기라도 하는 것처럼 차가운 빗속에 서있다. 그는 머리를 뒤로 젖히고 서서 손전등을 위쪽으로 향하고 원뿔모양의 빛 속으로 빗방울이 어떻게 떨어지는지 바라본다. 시장이 마을 사람들 주변을 돌면서 손가락으로 그들을 꾹꾹 찔러 대며 눈을 껌벅거린다. 마치 그게 그의 공이라도 되는 것처럼 말이다. 깡마른 나이든 여자는 정신 나간 사람처럼 웃다가 목이 메이고, 흐느낌은 잠시 후에 조절할 수 없는 울음으로 바뀐다. 두 여인은 서로 춤을 춘다.

"언제 마지막으로 비를 맞았었는지 기억이 안나요." 그가 엄마에게 말을 건넨다.

"언제 마지막으로 이렇게 마을 사람들이 행복해하는 걸 봤는지 기억이 안나네."

"알라여" 농장경영자가 소리친다. "알라가 자비를 베푸신다."

엄마는 침묵한다.

다음날 엄마는 사막으로 산책하는 길을 배웅한다. 비 내린 이후라지만 사막은 언제나 그렇듯이 메말라 있다. 단지 공기만은 약간 습하게 느껴진다. 강아지는 즐겁게 앞서가고 몇 미터 앞에 가면 항상 멈춰 서서 귀를 쫑긋 세운 채 다음 발걸음을 떼도록 재촉한다. 둘 다 말이 없고 그 나머지는 여느 때와 같다. 비와 관련된 한밤의 황홀한 경험은 그들 사이에 보이지 않는 돌처럼 놓여있다.

강아지는 냄새를 맡더니 앞으로 껑충거리며 뛰어가 자신의 포획물을 찾아낸다. 자그마한 사막 고양이이다. 하지만 고양이가 훨씬 더 빠를 뿐만 아니라 지형도 더 잘 알고 있다.

"보로스로 돌아가요." 그가 제안한다.

엄마는 살짝 떨면서 모직 스카프를 몸에 더 밀착하여 감는다.

"여기는 지옥이에요. 엉겅퀴 하나도 자라지 않는 메마른 땅 조각이잖아요. 이런 곳에서는 절대 사람이 살아서는 안돼요. 왜 우리가 살던 고향 땅에서 우리를 쫓아낸 소련놈들을 위해 노예처럼 일해야 하죠? 이건 정말 아무 의미도 없어요!"

"나미야, 그럼 뭐가 의미 있는 거니?" 엄마가 그를 향해 돌아보며 멈춰 선다. 그녀의 콧구멍이 떨린다.

"인생에서 의미 있는 게 뭘까?"

강아지가 심하게 짖는다. 그는 손톱이 저려오는 느낌이 든다. "입닥쳐, 멍청아!" 그가 강아지에게 소리친다. 하늘은 다시 구름 한 점 없다. 몽롱하게 어젯밤의 일을 회상하니 얼굴에 차가운 빗방울이 떨어지는 꿈을 꿨던 게 아닐까. 학교 운동장에서 경험했던 특별했던 기억을 떠올려 본다. 눈이 내리자 여선생님이 학생들을 밖으로 내보내 주었고 학생들은 운동장에서 눈송이를 혀로 받거나, 눈이 많이 내리면 얼굴도장을 찍거나 눈으로 단순한 모양들을 만들었다. 소매가 완전히 젖어갈 때쯤 여선생님은 학생들을 교실에 있는 난로로 몰고갔다. 그게 너무나도 오래된 일 같았다.

"애야, 난 보로스로 돌아갈 수 없단다."

"왜 안돼요? 왜?"

강아지는 겁먹은 듯 빙글 돌고는 꼬리를 다리 사이로 당긴다.

"맙소사, 나미, 그만해. 이제 입 다물고 소리치는 걸 멈춰. 난 호수로는 절대 돌아가지 않아."

그리고는 둘 다 입을 다물고 먼지 속을 걸어간다. 그들은 앞을 바라보며 옆사람을 쳐다보지 않으려고 한다.

≈

그녀는 너무 어렸었다! 겨우 몇 살이었지? 열일곱? 그래, 분명 열일곱이었고 아직 보드카도 맛본 적이 없었고 담배도 피워 보질 못했었지! 그녀가 학교를 다닐 때에는 아직 한 교실에서 남학생과 여학생이 함께 공부하던 시절로, 그건 확실히 좋을 게 없었고, 그녀에게 많은 안타까운 일들이 생기게 하는 이유가 되기도 했다.

그들은 서로에게 상처를 주었는데 한번은 그녀가 한 남학생을 눈썹이 뜯겨 나갈 정도로 때리는 일이 벌어졌고 그래서 교장실에 불려갔다. 그 남학생은 그녀의 치마를 들추었고 그래서 녀석에게 한 방 날린 것이다. 남자아이 한 명이 있었는데, 일반 학교에 있으면 절대 안되는 아이였다. 그는 심한 장애가 있었다. 그는 자주 혼자 가성으로 노래를 부르고 손을 흔들거나 벤치에 밤, 돌멩이, 연필 같은 물건을 그만의 규칙에 따라 놓아두었다. 누군가 그걸 건드리면 완전히 통제력을 잃어 버렸고 피가 흐를 때까지 벤치에 머리를 찧었다. 이런 아이는 절대 학교에 다니면 안된다. 적어도 일반 학생들과는 말이다, 그렇지 않은가? 분명 다른 학생들이 그를 괴롭힌다. 그의 공책을 태우고 과제물에 소변을 보고, 누군가 이상하면 이렇게 되버린다.

나미는 갑자기 그 자신과 또래일 것 같은 한 소녀 옆에서 걷고 있다는 걸 깨닫는다. 그녀는 마치 여자친구 무리가 옆에 있는 것처럼 재잘거리고 몸 동작도 에너지 넘치는 제스처로 바뀌어 있다. 나미의 엄마가 그 남학생의 눈을 사로잡았고, 그녀는 어떻게 그런 일이 벌어졌는지 모른다. 남학생이 학교 앞에서 그녀를 끌어당겨 품에 안았다. 그녀에게 투명한 사탕과 호수의 물로 식힌 작은 유리를 건넸다. 그것은 이상한 일이었지만 그녀는 그 멍청이에게 화조차

내지 않았다. 그래 봤자 아무 소용도 없을테니까. 마찬가지로 그에게 무슨 말을 해도 이해할 능력이 없었기 때문이다. 그녀가 그를 쫓아버리려고 애쓸 때는 그를 꼬집었고, 집으로 가라고 말을 했지만 그는 그걸 이해하지 못했다. 그것은 견딜 수 없는 것이었다.

그는 내면 속에서 긴장감이 자라나고 모든 흉부 근육이 추위로 떨리는 것처럼 고통스럽다. 어머니도 침묵한 채 손가락을 문지르기 시작한다.

"돌아가자구나," 엄마가 제안하고 그는 말없이 고개를 끄덕인다. 그러면서 목이 뻣뻣해 진 걸 느낀다.

"내 아버지가 아닌 거죠? 아니죠?" 그가 묻는다.

엄마는 말이 없다. "애야, 어쩔 도리가 없었단다. 내 잘못이 아니야. 내가 집으로 돌아갈 때 건물 사이에서 나를 노리고 있었어. 1월 이었고, 금방 어두워졌어. 뒤에서 나를 덮쳐서…."

그는 코를 킁킁거리다가 코를 풀기 시작했다. 멀리 마을에서 첫 번째 불빛이 켜졌다. 둘은 말없이 걸었고 엄마는 그의 팔짱을 꼈는데 다시 그 나이든 여인이었다. 비록 기록에는 그녀 나이가 단지 서른 다섯이지만 말이다.

"이름이 뭐예요? 내가 그를 알까요?"

그가 잠시 후에 묻는다.

"샤흐나스. 샤흐나스란 이름이었지."

"죽었나요?"

"호수의 정령과 함께 있지."

"그 사람한테 무슨 일이 있었는데요?"

엄마는 한숨을 쉬었다. "무슨 일이 있었냐고? 내가 다시 말을 할 수 있을 때까지 양탄자를 열다섯 개 정도 짰을까? 어쩌면 스무 개 정도는 되겠지. 그 얘기를 할 자신이 없구나."

"자요. 우리 걸어요." 그가 말한다. "그 강아지가 어디 있지?"

"기다려, 좀 기다리려무나."

숨을 헐떡이며 왼손으로는 스카프 밑으로 흘러나온 머리카락을 잡으려 노력한다.

"그날 저녁 사람들이 몰려갔고 그를 침대에서 끌어내렸지. 그의 어머니는 비명을 지르며 그를 감쌌지만 혼자서 뭘 할 수 있었겠니? 그를 사람들이 마구 때리다가 결국에는 그를 호수에 던져버렸어."

"호수에" 한숨을 내쉰 나미는 엄마를 안아 주기 위해 멈춰 선다. 그녀는 마치 마비된 듯 서있고 냉기가 전해지는 느낌이 든다. 지금 나미는 엄마의 버팀목이 되어야 한다. 불안은 돌아오고 아무것도 해결되지 않았고 아직도 멈출 수가 없다.

"엄마 잘못이라고 생각해요?" 잠시후에 묻는다.

"그를 어떻게 할지 난 생각도 못했어. 그렇게 할 줄 알았다면 그 일을 아무에게도 말하지 않았었겠지."

"그건 엄마 잘못이 아니야. 그런 야만인들. 그게 그 지랄 같은 인민 재판인가 뭔가 하는 거지."

"그러고 나서는?" 잠시 후에 그가 묻는다. 하지만 더 이상은 아무것도 듣고 싶지 않다.

엄마는 어깨를 으쓱해 보인다. "더는 아무 일도. 부모님은 그날 밤 곧바로 수도로 가는 버스에 나를 태웠지. 남자들이 술에서 깨면 그 잘못을 내 탓으로 돌리리라는 걸 잘 아셨거든. 그건 맞는 말이야. 흉작, 호수의 물이 줄어드는 것, 바다의 날씨가 좋지 못한 것. 그 모든 게 내가 원인이 되어서 벌어진 범죄의 결과 때문이었으니까. 호수의 정령이 화를 냈고 그래서 어쩌면 그를 먹이려고 입에 쑤셔 넣은 걸 수도 있지."

"다들 미개한 인간들이지!" 그가 말한다.

"엄마도 희생시켰을 거야."

엄마는 어깨를 으쓱해 보인다. "분명히 그랬겠지. 우리가 그 사실을 확인하기 위해 기다리고 싶지는 않았어."

마을의 불빛이 멀리서 깜박였다. 하지만 뭔가 천천히 밤이 눅눅해지고 무거워졌다. 그는 어떤 미세한 변화도 잘 알아차렸다. 가끔씩 그 멍청한 강아지처럼 똑같이 킁킁거렸고 어쩔 때는 심지어 귀를 쫑긋 세우려고 노력하기까지 했다. 하지만 지금은 당혹스러움으로 몸을 떨었다. 엄마는 나미의 팔에 매달렸고 마치 그녀의 몸 전체를 내맡기는 것 같았다. 그녀는 어떻게 우루보르 사람들 사이에서 남편을 만났는지 이야기했다. 그는 거칠고 교양이 없었지만 그녀를 좋아했다. 그들이 사막으로 떠나 왔을 때 그는 술을 마시고 그녀를 때리기 시작했다. 이빨 몇 대가 부러졌고 뱃속의 아이가 유산되었다. 결국 그는 어느 날 밤 선술집에서 돌아오는 길에 관개수로에 떨어졌고 익사했다. 그후 그녀는 안정을 찾았고 그래서 아니, 변화를 주고 싶지 않다. 이게 전부다, 그녀 삶의 전부, 그렇다. 호수로는 절대로 돌아가지 않을 거다. 지금 그녀는 춥고 피곤하고 빨리 집으로 돌아가고 싶다.

그는 죽을 것처럼 피곤함에도 불구하고 그날 밤 잠들지를 못했다. 일어나서 바람을 쐬기로 결정했을 때 엄마가 손을 무릎에 얹은 채 침대에 앉아 있는 걸 확인했다. 그녀 옆에 앉았고 날이 새기 전까지 그렇게 머물렀다. 그들은 새벽녘에 서로의 어깨에 기대어 잠이 들었고 마치 익은 양귀비의 머리처럼 서로에게 기대어 같은 템포로 숨을 쉬었고 똑같이 거친 꿈을 꾸었다.

≈

비가 왔던 그날 밤부터 마을 사람들은 동요하고 있다. 어두울 때 자주 마을 공터에 모여 격양된 목소리로 토론을 하고 시장은 이 소요 사태를 중앙에 재빨리 알려야 한다. 그래서 더 힘이 들고 웃음은 더 가장된 티가 난다. 한 달 뒤에 파종이 시작되고 그게 시장이 만일의 사태를 해결해야 하는 마지막 업무이다. 일주일 뒤에 토론을 통해서 요구사항이 나온다. 금요일은 기도를 하기 위해서 휴일이 되길 바라고, 마을에 모스크를 세우고, 묘지에 조상을 메카방향으로 매장하길 원한다. 시장은 명랑하게 그 말인 즉슨 사람들이 지금 너무나 경건해서 선술집에서 보드카 마셔 대는 걸 멈추겠다는 의미냐고 묻는다. 하지만 음울한 얼굴들이 그를 더 이상 농담하도록 놔두지 않는다. 다시 가볍게 비가 흩뿌린다. 이게 좋은 징조인지 아닌 지에 대한 공방이 벌어진다.

파종이 시작되었을 때 남자들은 시장이 그들의 특권을 보장해 주지 않는 한 들판에 나가는 것을 원하지 않는다. 중앙에서 온 거부의 답변을 지금까지 숨기고 있던 시장은 화를 내며 먹을 게 있는 것만으로도 만족하라고 소리치기 시작한다. 남자들은 잠시 서로를 바라보다가 투덜거리기 시작하지만 이내 트럭 칸에 오른다. 하지만 파종하는 대신 빈둥거리며 목화씨를 바람에 날린다. 그러고 나서는 둔덕에 앉아 잡담을 한다. 그는 조금 떨어져 앉아 간식을 먹는다. 농경학자는 한탄을 하고 시장은 주먹을 불끈 쥔다.

남자들은 일어나 트럭으로 가서 옆면에 붙어있던 목화 재배 증가를 위한 선전용 슬로건을 떼어낸다. 나미 또래의 청년 두 명이 현수막으로 달려들어 점프하고 코자크 댄스를 추기 시작한다.

"이보게들, 뭐하는 짓인가?" 시장은 손을 내젓는다. "문제가 될 거네! 모두들 아는 거 아닌가, 내가 중앙에 연락해서 여기로 군대를 보내라고 연락해야 하나? 자자, 이상한 짓 말고 일 합시다. 모든 걸 잊어버리자고."

남자들은 시장이 그러거나말거나 트럭 뒤로 뛰어오르고 그들 중 한 명이 운전석을 두드린다. "집에 갑시다!"

운전사는 운전석에 뛰어올라 시동을 건다. 시장을 포함해서 남은 모든 남자들은 차에 오른다. 마을까지는 단지 7킬로미터 정도의 거리지만 말이다.

≈

우루보르 사람들과 다른 마을 사람들이 들고 일어났다는 소식이 전해진다. 목화밭은 고요하게 펼쳐져 있고 봄부터는 잡초가 무성하게 자라난다. 남자들은 모스크를 세우기 시작한다. 밤에는 마을 광장에 나와 보드카를 마시고, 어디에서 모스크로 성직자를 모셔올지 숙고한다. 이제 여자들에게는 머리카락을 가리도록 하고 어쩌면 그걸로 충분하지 않아서 몇몇 사람들은 얼굴까지도 가려야 하지 않을까 한다.

"집어치워요." 엄마는 이를 갈며 말하지만 어쨌든 머리에는 스카프를 하고 다닌다. 남자들이 술을 마시면 마을의 다른 여자들에게 하는 것처럼 그녀에게도 소리를 친다.

마을에 식료품을 조달하는 배달 차량은 드문드문 다닌다. 우편 버스도 더 이상 전혀 운영되지 않는다. 어느 날 아침 통치자의 흉상이 붉은 색으로 뒤덮였다. 시장은 짐을 쌌으나 중앙에서는 구역을 벗어나는 걸 허락하지 않는다. 어느 날 아침 시장은 구부러진 십자가와 갈고리로 고정시킨 개구리가 자기 사무실 문에 걸려있는 것을 발견한다. 시장은 더 이상 주저하지 않고 트럭 하나를 골라 타고 떠나버린다.

조합매점은 이제 완전히 비어 있고 술을 파는 부스는 바닥까지 마셔버렸다. 마을에서 작동하는 유일한 것은 아무도 다니지 않는 도서관 뿐이다. 통치자의 흉상은 먼지 속에 누워있다. 그 주변에 사막임에도 불구하고 쑥의 가녀린 줄기가 자라나 있다. 엄마는 자그마한 정원에서 일을 한다. 먹을 것을 확보하려고 땅을 파고 강낭콩, 감자, 당근, 양파를 심는다. 가진 켈림 러그 중 하나를 암탉 세 마리와 바꾸고 또 다른 것은 견과류 두 자루와 꿀 여섯 병과 교환한다.

"우리는 떠나야 해." 그는 매일 말하지만 엄마는 그저 고개만 내젓는다. 여기 필요한 것은 모두 다 있고 사내들은 잠시 후면 조용해질 테니 모든 게 이전처럼 될 것이다.

모스크는 미완성으로, 건물은 재료가 떨어진 미나렛 부분이 무너졌고 지금은 약간 기울어져 있다. 그러나 남자들은 그게 메카를 향해 기울어진 것이라고 강조하는 걸 절대 잊지 않는다. 공기는 봄 기운이 만연하다. 쟁기질 된 들판에서는 줄 사이에 생명력 강한 등대풀이 돋아나고 사막 종달새가 폴짝거린다.

그가 사랑에 대해 몇 시간 동안이고 생각하지 않는 날들이 있었지만 봄이 오자 열망이 강해진다. 문이 쾅 하고 닫히면 신음소리가 들리고 수건의 접은 모양으로 성별을 구별한다. 그는 우루보르 여인들이 샘물가에서 기다리며 노래하는 민요 속에서 자기의 고통을 느낀다. 나미는 생생한 꿈을 꾼다. 자자에 대한 꿈으로, 그녀에게 다가가서 서로의 몸을 밀착하고 그의 존재가 할 수 있는 모든 걸 쏟아부어 사랑한다. 그의 꿈은 항상 절정이 빠져 있어 대부분은 발기 상태로 깨어나고 화가 나서 베개를 내려친다. 자기 팔로 입을 막고 거기에다 대고 신음을 한다. 어떨 때는 피가 흐를 때까지 깨물기도 한다.

≈

"우린 떠나야 해." 엄마에게 말을 한다.

엄마는 절대 다시 시작하고 싶지 않고 모든 걸 가졌다고 나미의 말을 거부하고, 사내들은 이미 잠잠해졌다. 결국 그들은 목화밭을 파종해야 할테고 수확이 늦어지겠지만 적어도 뭔가를 얻을 것이고, 살아야만 한다고 이야기하기 시작한다.

"난 보로스로 돌아가야 해." 마침내 그는 애원하며 말한다. 엄마는 침묵한다. 그녀는 밤에 눈물을 흘리지만 호수로 돌아가지 않으리란 걸 안다. 나미가 떠날 때 엄마는 그와 작별하지 않는다. 그녀는 다시 침묵 속으로 가라 앉는다.

이마고 Imago

04

수도로 가는 길은 멀고 먼 힘든 여정이다. 그는 거의 일주일이 걸리는 여정을, 일부는 히치하이킹으로 가고 나머지 여정은 걸어서 가야한다. 도로에서 멀리 불에 탄 마을이 보인다. 몇 번이고 소련 군 호송대가 지나간다. 군인들은 말이 없고 각자의 생각에 잠겨 있다. 사막은 끝이 없어 보이고, 이미 수도 안으로도 기어 들어가고 있다. 도시는 고요하고 도로를 따라서 불에 탄 자동차들이 그를 반기고, 상점 진열장은 깨어져 있거나 판자로 막아 두었다. 저잣거리의 판매대는 비어 있거나 뒤집혀 있고 볶은 해바라기 씨를 팔 때 주었던 콘모양의 신문지가 뜯겨져 그 조각들이 바람에 날리고 있다.

올드 레이디의 집의 정원 벽은 무너져 있고 그가 다듬던 나무들은 부러져 있고 화단은 짓밟혀 있다. 나미가 들어갔을 때 올드 레이디는 베란다에 앉아서 도자기 잔에 차를 마시고 있었다. 베르카는 충실한 개처럼 그녀의 발 옆에 앉아 있다. 올드 레이디는 일어나서 포옹하고 자신의 뜨거운 손바닥을 그의 얼굴에 댄다. 그녀는 그에 대해 얼마나 걱정했는지, 다시 돌아와서 얼마나 기쁜지 그리고 또 얼마나 끔찍한 일이 있었는지에 대해 말한다. 우루보르 패거리가 정원을 망가뜨리고 모든 걸 짓밟고 경찰이 오기 전에 다 털어갔고. 맙소사, 그녀는 자신이 그 터무니없는 경찰을 부르게 될 거라고는 전혀 생각지도 못했다. 그들이 무슨 짓을 했는지 알기나 할까? 살롱에 있는 암막을 뜯어 내어 거기에 똥을 쌌다. 파리에서 가져온 설탕 그릇은 벽에 던져 박살냈다. 더부룩할 때 먹는 생강과자는 바닥에 쏟아 짓밟았다. 그걸 이해할까? 베르카는 눈이 빨갛고, 우루보르 놈들은 야만인이고 짐승들이라며 그들을 먹여 살렸던 도시를 약탈했고 그나마 다행인 점은 소련 군대가 막아섰으며 그들이 너무나 큰 해를 끼쳤다는 것이라며 흐느끼고 … 그들은 혁명도 제대로 이행할 줄 모르는 것들이라며 소리친다! 올드 레이디가 나미에게 꿀을 넣은 우유를 데워다 주라고 보낸다. 그녀는 우루보르인들은 미개한 짐승들이고 따라서 그들의 비참함에 대해 화를 낼 수가 없다고 말한다.

"난 꿀 넣은 우유를 좋아하지 않아요." 나미가 미안한 듯 말한다.

"정말로? 그럼 왜 한 번도 말하지 않았니?"

그는 어깨를 으쓱해 보인다.

올드 레이디는 나미에게 당시 있었던 일을 이야기한다. 소련 군대의 정찰병 세 명이 도착했을 때 그녀는 살롱에 있는 피아노로 쇼팽의 녹턴 내림 마장조를 연주하고 있었다.

"두 명은 나미보다 약간 더 나이가 있는 청년들이었어. 유니폼은 먼지투성이였지. 비록 모든 것들이 부셔져 있더라도 이곳보다도 더 럭셔리한 장소를 한번도 가보지 않았던 게 티가 났어. 한 달에 한 번쯤 빗속에서 목욕을 하는 빈민가 출신의 청년들인 게 티가 나더군." 올드 레이디는 역겹다는 듯이 말한다.

"중위 한 명이 있었는데 깡마르고 사십대쯤 되었을까, 덥수룩한 눈썹에 우울한 표정을 하고 있었지. 나는 마지막 음을 다 연주할 때까지 그들이 온 걸 알아차리지 못했어. 그 중위는 마치 토요일에 일해야 하는 사람처럼 계속 인상을 찌푸리고 있었어. 결국에는 그들이 물을 얻으러 왔다는 걸 알았지."

올드 레이디는 가슴의 카메오 브로치를 의식적으로 매만진다. "청년들은 물을 뜨러 부엌으로 갔고 중위는 피아노를 가리키며 그걸 쳐 볼 수 있는지에 대해 묻는 거야. 너도 알겠지만 나는 그 맘루크[8]가 그걸 건드리는 게 싫었어. 그 피아노는 아버지께서 사 주신 것이고 베를린에서부터 가져온 거였거든."

그는 베르카가 베란다의 돌계단에 앉아서 스타킹에 난 구멍을

---

8) 맘루크는 '소유된 자'를 뜻하는데 이슬람으로 개종한 노예군인이다.

손가락으로 헤집고 있는 모습에 주목한다. 알 수 없는 커다란 새가 무화과 줄기에 무겁게 내려앉는다.

"실례해도 될까요?"라고 그 중위가 물었어. 너무나 예의 바르고 정중하게 내게 물었지. 그래서 난 그가 앉도록 허락했어. 그 맘루크는 콘서트홀이나 뭐 그런 장소에 있는 것처럼 몸을 숙인 채 연주를 시작했어. 생각해보렴, 또 다른 쇼팽의 녹턴, 나장조. 그는 너무도 고상하고 긴 손가락을 가졌더라고. 마치 라흐마니노프처럼!"

"아름답게 연주했죠." 베르카는 꿈을 꾸듯 숨을 내쉰다. 올드 레이디는 그녀를 의아한 듯 쳐다본다.

"분명 아름답게 연주했지. 베르카의 입이 벌어졌고 군인들도 그랬지. 문가에 서서 입을 벌린 채 쳐다봤으니까. 그가 연주를 마치고는 내게 뭐라고 했는지 아니?" 올드 레이디는 나미 쪽으로 몸을 구부렸다. 죄송하다는 거야. 너무 오랫동안 연습을 못했다는 거지. 알고보니 국립음악학교의 교수였다는구나. 금방이라도 눈물을 흘릴 것 같아 보였어. 그순간 군인들 중 한 명이 불쑥 물이 나오지 않는다고 내뱉는 거야, 그 불쌍한 군인은 자기 지휘관의 당혹감을 감싸주려고 노력하는 거였지. 완전 감동이었어."

올드 레이디는 말을 멈춘다. 멀리서 사이렌 소리가 혼란스럽게 들린다. 그는 자기 손바닥을 쳐다보지만 시야가 흐릿하다.

"내가 물었어." 올드 레이디가 계속한다. "유니폼에 묻은 게 우루보르의 피인지 말이야. 가슴 쪽에 어두운 얼룩이 묻어 있었거든,

무슨 말인지 알겠니? 그는 그저 피곤한 듯 웃었고 그건 아니라고 말했고, 아이고 다행이지, 그게 그저 엔진 오일이라는 거야. 하지만 그들의 피는 모든 사람들 손에 묻어 있다고 하더군.”

“도시 뒤쪽에 구멍이 있고 거기에 불쌍한 미개인들이 모두 묻혀 있다나봐.” 베르카가 불쑥 내뱉듯이 설명을 한다. 목소리가 높아 그는 움찔한다.

“나는 그들에 대해 무슨 생각을 하고 있는지 말했어.” 올드 레이디는 동의할 수 없다는 듯 고개를 내젓는다. “나는 그에게 그들이 짐승이라고 말했지. 스볼로츠 타카야!라고[9] 그가 이해할 수 있도록 설명했지. 피아노를 치면 문제가 해결될 거라고 생각하지 말도록 말이야. 그렇게 말하고도 그에게 더 연주하라고 했어. 베르카가 코냑을 가져왔고 우리는 그걸 함께 마셨어. 중위는 다시 의자에 앉았고 자기의 긴 손가락을 들어올려 건반 위에 놓고는 러시아 음악 'Dark eyes'를 연주하기 시작했어! 맙소사, 그 연주하는 모습이란! 그의 손은 마치 악마가 기름을 쳐 준 것처럼 건반 위에서 오른 쪽에서 왼쪽으로 뛰어 다녔어! 코냑을 마시고 나서는 'Two guitars'를 연주했고, 머리를 숙이고 눈을 감은 채 다른 여러 집시 음악을 연주했지. 그는 또 마시고 연주했고, 스툴에서 넘어지지 않을 때까지 계속 했어.” 올드 레이디는 머리를 끄덕였다. “그리고 그 군인들은 양단 쿠션에

---

9) “스볼로츠 타코야!(Svóloč takája!)”: 러시아어 어원으로 '이런 짐승들!' 혹은 '짐승 같은 놈들!' 이라는 뜻.

194

그냥 조용히 앉아 있었어. 그 중 한 명은 잠이 들었고 작게 코를 골기 시작했는데 나머지 한 명은 조용히 입을 벌린 채 음악을 듣고 있었지. 그리고 떠날 때는 자기 상사를 부축해야 했고. "너 내 말 듣고 있니, 나미야?"

그는 자고 있다.

$$\approx$$

"여기를 원래 상태로 돌려놓게 도와드릴께요." 그가 뒤늦게 말을 한다.

"착하구나"

"기꺼이 할게요."

베르카는 달콤한 페퍼민트차를 가져오고 그는 올드 레이디에게 어떻게 엄마를 찾아냈는지 이야기한다. 그래, 그건 기쁜 일이지, 비록 조금은 특별한 일이더라도, 그래, 서로를 좋아하고, 함께 정말로 좋은 시간을 보냈고, 그들은 어떤 면에서는 매우 가깝지만 이미 그들 사이에는 무엇인가가 깨져 있다. 올드 레이디는 기침을 한다. 줄곧 기다렸다는 듯이 고개를 끄덕인다.

"너 앞으로 따로 갈 길이 있는 거지, 맞지?" 말을 한다. 그는 고개를 끄덕인다. 그래요, 보로스로 가야하고, 거기에 있죠, 흐음, 친척들이……

"그건 나중에." 올드 레이디가 말한다. "지금은 쉬렴."

그는 올드 레이디의 먼지 낀 이불 속으로 파고들며, 깨어났을 때

마지막 이 지랄같은 몇 년이 모두 그저 꿈을 꾼 거라고 알게 되기를 간절하게 바란다.

≈

예외적인 비상시국이다. 거리에는 경찰차들만 돌아다닌다. 그들은 몇 번이나 그를 검문한다. 거리에서 노숙자들과 떠돌이 개들이 사라졌다. 상점들은 약탈되고 문이 닫혀 있다. 직업소개소가 있던 곳도 텅 비어 있다. 공원은 쓰레기로 가득하고 몇몇 벤치는 뒤집혀 있다. 벽이나 심지어 시립공원의 돌로 만든 곰에도 우루보르의 독립에 대한 구호가 스프레이로 적혀 있는데 대부분은 읽기가 어렵거나 맞춤법이 틀려 있다. 문구들 중 어떤 것들은 이미 초록색으로 다시 칠해져 있다. 그가 개코원숭이의 우리 쪽에 도착했을 때 철창이 활짝 열려 있고 우리가 비어 있다는 걸 확인한다. 가까이 다가가자 쇠사슬에 타이어가 매달려 있는 나뭇가지 위 천정 쪽에는 털 뭉텅이가 굴러다니는 게 보인다.

"마이문!" 그는 기쁘게 부른다. 마지막으로 누군가를 만났을 때 이렇게 기뻤는지를 떠올려본다. "마이문, 이 늙은 자식아, 이리와! 우리 문이 열려 있어, 밖으로 나와 임마. 나랑 가자, 내가 널 돌봐 줄게. 자, 어서!"

마이문이 움직이고 돌아선다. 뚫어지게 그를 응시한다.

"마이문, 나 알아보겠어? 알아보는 거지, 맞지? 내가 너한테 과일과 견과류를 가져다 줬었잖아, 기억하지?"

마이문은 그를 흥미없이 바라보다 다시 고개를 돌린다.

"이거 봐봐, 여기 뭐가 있게! 땅콩이야! 이봐! 마이문!"

원숭이는 천천히 그리고 조심스레 움직인다. 그에게서 땅콩을 가지고 다시 빠르게 자기의 구석으로 가서 오독오독 씹는다. 그리고 더 이상 그에게 관심을 보이지 않는다.

"마이문! 너 대체 이게 안 보이는 거냐? 너 자유야!"

마이문은 페니스를 잡아당기기 시작하더니 화를 내며 소리를 질러댄다.

≈

그는 항구의 콘크리트 부두에서 쉬면서 항구의 노동자들을 응시한다. 그들은 화물차 정거장에서부터 이어진 레일의 트레일러에 올라타 착석하고 있다. 레일에는 더 이상 화물이 다니지 않으며 철로의 침목 사이에서는 녹황색 풀들이 자라나고 있다. 일꾼들은 오래전부터 할 일이 없지만 부두에 모이는 것은 그냥 습관이 되었기 때문이다. 남자들은 담배를 피우며 말이 없다. 얼마의 시간이 지나자 그들 중 누군가가 소리를 지르고 답변하는 목소리는 크레센도로 날카롭게 소리치지만 그는 그걸 이해할 수 없다.

그는 부두의 가장 자리에 앉아 볶은 병아리콩을 씹고 있다. 오른쪽으로는 호수로 가는 콘크리트 길이 나있고, 그것은 이전의 드라이독이다. 선창이 기울기 시작한 장소에는 윤이 나고 깨끗한 검은색 지프차가 주차되어 있다. 그것은 조니의 자동차로 은색 그릴과 이중 헤드라이트가 있다. 조니는 분명 자신의 딜러와 함께 항구에 온 것이다. 잠시 후에 여기로 돌아올 것이고 주머니는 코카인과 헤로인으로 가득할 것이다. 어떻게 그는 더 이상 그를 다시 보지 않게 되리라고 생각할 수 있었던가?

자동차는 금장 칸국 부대의 갑옷처럼 햇빛으로 반짝인다. 차는 조니의 애인으로 그의 야망과 성공이 의인화된 것이다. 저 양철 덩어리에 대한 그의 감정은 조니의 삶에서 스쳐간 어떤 사람에 대한 것보다 뜨겁다. 조니는 그 머저리 고양이에게도 그런 애정을 보이지 않았다.

그는 조니가 어디에 여분의 열쇠를 붙여 두었는지 알고 있으므로 자동차 안에 들어가 브레이크를 풀고 밀어 버릴 수도 있다. 주행하는 부두의 각도는 자동차가 수면에 도달하기까지 속도를 붙이기에 충분히 크다. 자동차로 악취나는 물이 들어가 가죽으로 덮인 시트와 값비싼 오디오 장비를 영원히 망가뜨리거나 엔진에 진흙이 들어가 다시는 시동이 켜지지 않도록 만드는 데도 충분하다. 그는 둘러보고 상황을 빠르게 판단한다. 자동차까지는 대략 50미터 정도의 거리이고 처리할 시간이 된다. 발걸음을 떼고는 달린다. 멀리서 유조선이 경적을 울리자 그는 움찔한다. 왼쪽 앞 바퀴 앞에서 손을 더듬어 곧바로 튀어나온 물체를 찾아내는데, 열쇠는 비닐봉지에 쌓여 여러 겹의 테이프로 붙어 있다. 그는 날카로운 것에 손가락을 대고는 아파서 씨소리를 낸다. 검지에서 피가 나기 시작한다. 조용하게 욕지거리를 한다. 그는 앞 범퍼 아래쪽으로 몸을 숙이고 다른 손으로 열쇠를 꺼내려 노력한다. 열쇠는 보닛에 청테이프로 적어도 다섯 겹은 되게 십자로 붙여져 있다. 그는 하나 둘씩 떼어버린다. 제일 먼저 테이프와 철판 사이에 손톱을 넣고 다음에는 보이지 않지만 엄지와 검지로 빠르게 떼어낸다.

다시 몸을 일으켰을 때 손은 엉망으로 긁히고 더럽지만 손에는 더러운 게 잔뜩 묻은 비닐봉지가 쥐어져 있다. 자동차의 운전석 쪽으로 다가가서 유리에 자기모습을 비춰본다. 씨발 뭐하고 있는 거냐? 잠시 생각에 잠긴다. 당황스러워 하며 여분의 열쇠를 가진 손을 늘어뜨리고 눈을 감는다. 그리고는 숨을 깊게 들이 마신 후 팔을 뻗고 모든 힘을 다해 열쇠를 호수에 던져버린다. 수면은 꽤나 멀지만 열쇠는 찰싹 소리를 내며 진흙이 있는 부분에 떨어지고 빠르게 가라 앉는다.

그건 마치 나미로부터 50킬로미터는 가서 떨어진 듯하다. 그는 몸을 바로 하고 깊게 숨을 들이 쉰다. 창고건물로부터 천천히, 태평스럽게, 마치 콘크리트 도로에서 반동하듯 유연하게 걸어오는 조니가 보인다. 그는 호수의 정령이 있다면 조니의 목에 어마어마한 종양이 생겨나거나 적어도 머리가 벗겨지거나 그것도 아니면 얼굴에 습진이라도 생겨나야 하지 않을까 생각한다. 하지만 조니는 늘 그러하듯이 건강해 보인다.

"안녕, 조니"

그가 말한다. 어쩌면 필요 이상으로 좀 크게 소리를 낸다.

조니는 놀라서 고개를 든다. 썬글라스 때문에 그의 눈은 보이지 않는다.

"나미, 너 이 새끼."

둘다 말이 없고 서로를 쳐다본다. 바람이 일어나고 오염된 먼지가 함께 날린다. 그는 팔로 얼굴을 가린다. "네 눈이 보이지 않아"라고 말한다.

조니는 천천히 그리고 태연한 듯 안경을 벗는다. 손이 미세하게 떨린다. 약간 몸 앞쪽에서 안경테를 잡고 있어 손이 보이고, 나미와의 만남으로 인한 자신의 불쾌감을 감추지 못한다.

그는 마치 총을 잡으려는 것처럼 손을 옆쪽에 놓는다.

눈을 오랫동안 그리고 뚫어지게 쳐다본다. 조니의 동공은 확장되어 있다. 날씨는 더워지고 두 사람 모두 땀을 흘린다. 그는 온몸 구석구석에서 맥박을 느낀다.

"꺼져, 이 새끼야." 마침내 조니는 긴장을 풀며 시선을 돌린다. "여긴 거친 서부가 아니야, 멍청아."

그는 살짝 미소 지으며 자리를 뜬다. 조니가 휘파람을 불기 시작하는 소리가 들린다. 그 소리가 엄청 가식처럼 들린다. 항구의 일꾼들은 번쩍이는 차를 타고 떠나는 조니를 주시하고는 다리 사이의 먼지에 침을 뱉는다.

≈

몇 주가 지나서 망가진 올드 레이디의 정원을 원상태로 돌려놓는데 성공한다. 망가진 나무들을 벌목하고 새로운 걸 심는다. ("이 나무들을 심어 내가 체리를 먹게 되려나?" 올드 레이디가 반은 애정을 담아 반은 슬프게 묻는다.) 다시 쟁기질을 하고 화단을 제초한다. 서투르지만 꽤 안정적으로 사라진 벽의 일부를 쌓고 그 옆에 덩굴식물인 부겐빌레아를 심는다. 하지만 물은 시간이 갈수록 더 구하기 어렵고, 그의 식물은 올드 레이디가 보고 좋아하기 전에 말라버린다.

그는 그녀에게 정자 옆의 장미가 밤사이 꽃을 피웠다고 말을 한다.

"어떤 꽃이 피었니, 말해봐!" 올드 레이디가 흥분해서 묻는다. 그가 그냥 고개만 끄덕이자 그녀는 재빨리 신발을 갈아 신고 본인의 눈으로 직접보기 위해서 뛰다시피 간다. 장미 꽃대는 병을 앓고 난 후처럼 가녀리고 약하지만 초록색 잎들과 붉은빛 꽃으로 온통 싱그러움을 뿌려 놓은 듯하다.

"하나는 하얗네, 그렇지?" 올드 레이디가 말하자, 그녀를 알게 된 후 처음으로 그녀의 목소리가 떨리는 게 느껴진다. 그는 고개를 끄덕인다. 올드 레이디는 허리를 굽혀 유일하게 하얀 꽃봉오리가 있는 특별한 장미의 꽃대를 조심스럽게 만져보며, 얼마나 이 순간을 기다렸는지, 매해 아버지가 오셔서 모두를 부르셨었다고 말을 한다. "하얀 장미가 피어났구나?"라고 아버지가 소리치셨고 모두가 정원으로 뛰어나갔고 그리고 나서는 정자에서 차를 마셨고 차와 함께 라벤더 쿠키를 먹었다. 붉은 장미 줄기에서 그녀의 원피스처럼, 그런 하얀 장미꽃 한 송이가 피어나는 특별한 순간을 모두가 기뻐했다. 아버지는 뒤에서 웃으셨고 어머니는 박수를 쳤고 파리에서 가져온 도자기 잔에 차를 따랐다. 언제 마지막으로 이 하얀 장미가 피는 걸 봤던가? 그녀는 전혀 기억할 수가 없었다…….

잠시 생각에 빠지더니 그녀의 턱이 떨린다.

"소중한 나미야, 네가 내게 기쁨을 돌려주었구나, 아직 살아 있다는 느낌이 다시 드는구나! 나는 생각했었다…. 그 미개인들이 모든 걸 파괴했을 때 정말이지 쑥대밭이 되었다는 느낌이 들었어. 여기서 더 이상 살 수 없다는 그런 생각말이야. 하지만 이게 가능하구나 조금씩 조금씩, 사람이 다시 일어서는 거야, 그렇지?" 올드 레이디는 미소를 지으며 손끝에서 담배 불을 붙인다. "그리고 지금 저 장미, 신이시여, 진정 생각도 못한거구나."

잠시 후에 그녀가 말을 잇는다. "일주일 정도면 비상시국도 해제될 것이고 그러면 너도 보로스로 돌아갈 수 있을 거야."

나미는 그녀가 함께 가 달라고 부탁하고 싶다. 하지만 요청할 수 없다는 걸 안다. 혼자가야만 한다. 그 길이 얼마나 두려운가.

버스가 다니지 않아서 그는 걸어가야 한다.

길은 먼지투성이이고, 여기저기 시들시들한 노란색 중의무릇(학명: 가게아)이나 파란 들꼬리풀들이 테두리를 두르고 있다. 그는 종종 붉게 녹슬어 있는 자동차를 보게 되는데 차체를 뚫고 식물들이 자라고 있다. 기름이 떨어졌거나 차가 고장났는데 도와줄 사람을 찾을 수 없었었던 걸까? 도적떼가 덮친 걸까? 아니면 담배가 떨어진 총을 든 소련 인이? 그 탑승객은 야생 짐승들이 먹어 치우나? 그가 차 한 대를 둘러보니 거기에는 보라색 플라스틱 샌들 한 짝과 테가 부러진 싸구려 선글라스가 있다.

길은 종종 언덕의 중턱에서 오르막 길이 되기도 한다. 이런 언덕의 한 비탈에 타버린 버스의 뼈대가 옆으로 누워있다.

그는 어렸을 적 할아버지가 그를 데리고 종종 마을 너머로 짧은 소풍을 다녔던 게 기억이 난다. 그때는 전혀 물 걱정을 할 필요가 없었다. 모든 길을 따라서 물이 솟아나는 샘이 있었다. 대부분 거기에는 작은 양철통이 사슬에 묶여서 달려있었다. 그렇다, 그건 당연히 있어야하는 물건이었다. 지금은 모든 샘이 말라버렸고 날아다니는 먼지덩이로 가득하다.

먼지는 모든 곳에 가득하고 모든 방향에서 흩뿌린다. 나무의 가지에 달라붙고, 풀의 줄기에 달라붙고, 나미의 점막에도 손등에도 달라붙는다. 신발끈을 위한 구멍을 통해 신발에도 들어온다.

멀리 언덕의 중턱에 어부의 마을이 있고, 지금은 호수의 기름진 수면으로부터 수백 킬로는 떨어져 있다. 마을에서부터 물에 이르는 땅에는 마치 배에 심각한 수술을 한 후에 생겨난 끔찍한 흉터처럼 깊은 균열이 나있다. 호수 쪽에서 바람이 불면 악취가 난다.

그는 오랫동안 걷고 발에는 물집이 잡힌다. 물집은 점차 물이 차고 피가 나고 터지고 신발의 가죽에 스며든다. 삼일 째 되는 날부터는 익숙해진다. 봄은 완연하다. 낮에는 벌써 30도를 넘고 밤에는 춥다. 그는 무기력하고 덥고 춥고 고통스럽고 혹은 배고픔으로 감자가 든 무거운 자루처럼 그냥 말없이 처지기만 한다. 잠자리는 짐승처럼 낮은 관목 숲이나 돌출된 바위 아래에서 최대한 안전할 수 있는 곳을 찾는다. 올드 레이디가 마련해준 소금기 있는 치즈와 견과류와 말린 살구 등 비축한 음식도 바닥이 났다. 숲에서 흘러내리는 시냇물을 만났을 때 친구놈들과 송어를 잡았던 기억이 떠올랐다. 손바닥을 모아 V자를 만들고 기슭의 돌 아래 공간을 조심스레 찾는다. 한번은 그에게 행운의 여신이 미소를 짓는데, 비록 크기가 너무 작았지만 물고기가 손에 닿았고 그걸 어찌 어찌 잡는 데 성공한다. 잡은 물고기를 호숫가에 던졌는데 물고기가 얼마나 팔딱거리던지 그가 주머니 칼을 찾아 아가미에 꽂기 전에 물로 다시 돌아갈 뻔했다.

나미는 나무 밑에서 다람쥐 둥지를 발견하고 그 옆에 마른 잎을 모아 불을 붙인다. 당황하고 앞이 안보이는 다람쥐는 밖으로 나오고 그는 손에 막대기를 들고 준비하고 있다가 내려친다. 저녁 무렵 작은 불을 피워 잡은 것을 구울 때—실망스럽게 나무가 적어서 반쯤 익히는 데 간신히 성공하고—호수 위에서 훨씬 더 큰 다른 불을 보게 된다. 굉장한 폭발로 엄청난 양의 화염이 올라온다. 그는 피곤한 듯 고기를 씹으며 그 공연을 주시하다가 높은 탑을 보고 정유공장임을 알아본다. 그 배열을 볼 때 수도 뒤쪽의 정유공장임을 알아본다. 그런데 이건 불가능하다. 벌써 수도에서 일주일 동안이나 멀리 왔는데 수도에서 일어난 일이 보이는 건 말이 안되는 일이다.

수면을 응시하다가 결론에 다다른다. 신기루. 덕분에 그는 150킬로미터도 더 떨어진 곳에서 무슨 일이 벌어지고 있는지 보고 있는 것이다. 파멸과 파괴와 아포칼립스, 할아버지라면 이렇게 말했겠지. 수도가 불타고 있다.

하늘의 반을 덮는 화염을 바라보던 나미는 그 순간 자신이 땀을 흘린다는 걸 느낀다. 다람쥐 다리 고기를 씹는다.

멀리서 보로스가 보이는 것 같다. 그 뒤로 콜로스 암벽이 서 있는데 뭔가 더 작아 보이는 것 같다. 리바르스카 거리도 소련 거주구역도 더 작고 도로는 가늘다. 그는 잠시 눈을 비비며 마치 다른 마을에 온 것 같다는 생각을 한다. 하지만 마을의 위쪽 언덕에는 행성 간 송신기의 몸통이 여전히 서있어 의심할 여지가 없다. 나미가 보로스에 도착했다.

속도를 내서 마을로 근접해보지만 마을의 비율은 변함없이 그대로이다. 그가 떠나 있는 동안 집들은 쪼그라들고 거리는 짧아졌다. 그저 호수만이 멀리 떨어져서, 거의 보이지 않는다. 그는 강박적으로 주시하며, 마치 쓰나미가 오기 전 바다가 물러나는 것처럼 그냥 호수가 물러난 것 같고 잠시 후 모든 걸 씻어낼 것 같았다. 하지만 먼 곳의 수면은 반짝이며 움직임이 없다. 녹슨 화물선들이 말라붙은 진흙 속에 잠겨 거의 시야의 끝이 다다르는 먼 곳에까지 펼쳐져 있고 폐선들이 만드는 그늘 밑에서 낙타들이 쉬고 있다.

생선가공공장은 문을 닫았고 녹이 쓴 대문은 현수막과 함께 무너져 가고 있다. 마당에는 심지 않은 나무들이 자라나고 학교의 교실은 텅 비었으며 책상은 있지만 걸상은 사라졌으며 칠판은 한쪽 고리에 매달려 있다. 창문은 깨져 있고 경첩은 떨어져 나갔다. 문은 다시는 닫을 수 없을 것이다.

소련인들이 떠난 아파트에는 떠다니는 먼지가 가득하다. 몇몇 집에는 여전히 누군가가 사는 것 같지만 창문은 없다. 그 집들을 통해 다른 쪽을 볼 수 있다. 아파트에는 이미 아무것도 없고 벽에는 타일조차도 없다. 한때 그렇게 인기있던 카지노의 룰렛은 먼지가 가득하고 더 이상 돌릴 수도 없다.

그는 걸어가다 외관이 살짝 부서진 이층짜리 자자의 집 앞에 멈춘다. 예전에 먼지 속에서 소련 지프가 지나가면 기관총을 난사하길 기다렸던 때처럼 도로의 경계석에 앉는다. 오후 내내 기다렸지만 길에는 한 노파가 딱지가 더덕더덕진 염소와 지나가고, 아이들이 장 본 걸 들고 지나가는 정도이다. 그는 다시 손이 가렵고 긁기 시작했다는 걸 깨닫는다.

≈

자자는 저녁때 집으로 돌아온다. 달걀이든 광주리를 들고 있고, 머리에 리본이 없고 대신 청록색의 스카프를 하고 있다. 어깨에는 반짝이는 핸드백을 걸치고 있다. 햇볕이 그녀 뒤쪽에서 비추고 그는 원피스 아래로 그녀의 실루엣을 바라본다. 비록 발걸음에서 유연함은 약간 사라진 듯 하지만 여전히 날씬하고 소녀의 움직임이다.

"자자야." 그가 말한다.

그녀는 놀라며 바라보지만 그를 알아보자 미소 짓는다. 그녀는 마치 그를 쓰다듬으려는 것처럼 팔을 뻗지만 이내 스카프 밑으로 빠져나온 머리카락을 정리한다. 광주리의 달걀이 튄다. 달걀이 낱개별로 신문지에 쌓여 있다.

"나미야, 언제 도착했어?"

"어제, 실제로는 오늘인 거지."

자자는 웃는다. 아마도 그의 당황함 때문이리라.

"자자야 어떻게 지내니? 나는 자주…. 알잖아…." 목소리가 더듬거린다.

"나미야 나 잘 지내, 고마워."

"그거 잘됐네."

"나미야, 나 좀 급해"

그는 그녀가 어디로 급하게 갈 수 있을까 하는 생각이 든다. 보로스에서는 모든 게 꿀에 빠진 파리가 움직이는 것처럼 천천히 일어난다.

"그렇구나, 그럼 내일?"

자자는 재빠르게 집의 문을 보고는 곧 창문을 훑어본다.

"모르겠어."

"무슨 말이지?"

자자는 달걀 광주리를 오른쪽 옆구리에 대고 균형을 맞춘다.

"그럼 나 간다."

"잠시만 기다려."

"뭐?"

"모르겠어. 아직 가지마."

"하지만 난 가야해."

그는 그녀의 손이 떨리는 걸 알아차린다. 그가 그녀의 목 뒤나 어깨를 만졌을 때처럼 그렇게 떨리는 걸, 하지만 그건 이미 오래전의 일이다.

"계속 그 포진이 있구나…. 손등에"

"그래, 호수가 말라갈수록 이게 더 심해져."

"응, 거기에 점점 더 많은 독이 있는 거겠지, 맞지?"

자자는 표정없이 그를 바라보며 손등을 긁는다.

"내일 디저트 카페로 와, 알았지?"

자자는 어깨를 으쓱한다. 그녀는 마치 염소가 정원에 침입하는 것처럼 우스꽝스럽게 정문을 어깨로 밀친다. 서투르게 위쪽에서 계란을 들고 있다. 그녀가 여전히 어린아이 같다는 생각이 들었고, 나미는 남학생처럼 그녀 앞에서 옹알이를 했다.

나미는 말없이 미소 지어야만 했다.

나미는 몇몇 아는 얼굴들을 만나지만 그들은 원숭이 마이문처럼 관심 밖의 영역이라고 행동한다. 그가 옛날 여선생님께 인사를 하자 그녀는 놀라서 바라본다. 그녀는 리본이 달린 큰 상자를 들고 있는데, 선물인 것 같다. 그녀는 몇 발자국 더 다가오면서 그를 쳐다보고는 부른다. "나미야?" 그는 그녀에게 미소 짓지만 잠시 후에 그들은 서로에게 할 말이 없음을 알게 되고 서로의 갈 길을 간다.

그가 성장했던 집이 눈에 들어오자 나미의 숨이 가빠진다. 포치의 난간은 눈이 아플 정도로 밝은 파랑으로 칠해져 있다. 정문 앞에는 알 수 없는 꽃이 심어진 화분이 있는데, 나미는 그걸 보자 죽을 때까지 거기에 소변을 보리라 결심한다. 일층의 창문에는 침구가 널려 있고 빨랫줄에는 아이 옷이 매달려 있다. 대문은 활짝 열려 있고 안쪽에서는 라디오에서 음악이 흘러나오고 있다.

그는 가방을 다른 쪽 어깨에 고쳐 메고 노크한다. 아무 소리도 들리지 않자 잠시 후에 안으로 들어간다. 거실은 새롭게 칠이 되어 있다. 팔이 셋 달린 아이는 테이블 밑에 앉아 뭔가를 가지고 놀고 있지만 그게 무엇인지 보이지는 않는다. 아이는 위를 올려다보고 그를 발견하고는 웃는다. 벽 옆에는 요람이 놓여있다. 콜호스 대표가 다른 아이를 낳은 게 분명하다. 대표 부인이 스토브 옆에서 미소를 지으며 서 있는데, 이렇게 옆모습만 보면 꽤 괜찮아 보인다. 그가 기침을 하자 그녀는 흠칫 놀란다.

"안녕하세요." 그가 말한다.

"안녕" 여자가 대답하고 웃음이 걱정스러운 표정으로 대체된다.
"앉으렴, 금방 스프가 다 될 거야."

"아이를 더 가졌나 보죠?"

여자는 고개를 끄덕이며 땀이 난 이마를 닦는다.

"축하해요."

여자는 인상을 쓰며 아무 말도 하지 않는다.

"또 사내아이?" 그가 긴장한다.

"여자애야."

"오 잘됐네요, 아닌가요?" "쌍을 가지게 된 거잖아요, 안 그래
요?" 그는 기억 속에서 할머니에게서 들었던 모든 표현들을 생각해
내려고 노력한다.

"그래."

여자는 그가 요람으로 다가가는 걸 무표정하게 쳐다본다. 그 안
에는 머리가 곱슬곱슬 풍성한 여자아이가 자고 있다. 천사 같은 표
정의 얼굴을 하고, 한쪽 팔만 있다. 다른 쪽 어깨에는 손가락 달린
손바닥이 돋아 있다. 그는 잠시 눈을 감고 숨을 참는다.

"호수의 정령은 여전히 계속해서 화를 내고 계셔." 여자가 조용
히 말한다.

"틀림없이 화를 내지 않을 텐데" 그는 혼자 중얼거린다. 테이블
옆에 앉아 테이블에 손을 올려 놓는다.

"스프는 양배추 스프야." 여자가 말하고 그는 고개를 끄덕인다.

테이블 아래에 있던 아이가 세 손으로 나미의 바짓자락을 잡아당기고 그 밑으로 작은 막대기를 밀어 넣는다. 그는 몸을 숙여 강아지에게 하는 것처럼 아이에게 으르렁 소리를 내고 아이는 까르르 좋아하기 시작한다. 잠시 후에는 나미 무릎에 기어올라 뭔가를 옹알거린다. 아이의 목이 더럽다. 그는 고개를 숙이고 눈을 감는다. 오래된 집의 향기를 들이마신다. 이따금씩 뱀들이 기어 나오곤 했던 바닥의 틈이 지금은 메워져 있다. 벽에는 콜호스 대표와 그의 가족사진이 걸려있다. 하나는 콜호스 대표가 젊었을 때의 사진으로 총에 기대어 서있는데 다리는 좀 더 크고 털이 많은 듯 보였다. 라디오에서는 전통적인 민속음악이 흘러나오고 있다. 자포자기한 남자가 팔세토로 노래를 하고 있고 사랑하는 여인이 그를 허락하지 않기 때문에 마지막에는 절벽에서 뛰어내리고 싶다고 노래한다. 그는 피곤해서 죽을 지경으로 테이블에 엎드려 잠들고 싶은 심정이다. 무릎 위에 있는 녀석이 안절부절 못하고 움직이다가 테이블을 세게 내려친다. 엄마가 아이를 나무라며 그에게 스프 접시를 가져다준다.

그는 약간 쭈뼛거리며 아이를 무릎에서 내려놓고 스프를 먹는다. 맛이 있다.

"자, 우리 마누라 음식이 어때?" 나미의 등 뒤에서 소리가 들린다. 콜호스 대표가 점심을 먹으려고 집으로 돌아왔고 뒤에서 가늘게 뜬 눈으로 그를 가늠하듯 훑어본다. 그의 등과 팔 등의 근육을 판단하고 나미의 첫 흰머리와 눈썹사이의 주름을 판가름한다. 결국 명랑한 톤의 목소리를 내기로 결정한다.

"기막힌 요리사 아닌가?"

"그런데 우리 엄마가 요리는 더 잘하지." 그가 잘라 말한다. 대표의 모습이 굳어지면서도 확신이 서지 않는다는 표정이다.

"무슨 말이야. 그럼 너 엄마가 있다고, 그래?"

"그래, 상상해 보시지. 당신은 몰랐다는 거네. 그래?"

"몰랐지." 대표는 잠시 생각에 잠긴다. "난 내내 시베리아 곰이 너를 싸지른 거라 생각했지."

"그것 봐, 하지만 날 잘 싸질렀지, 안그래? 난 가진 건 다 가졌으니까, 두 팔, 두 다리…."

콜호스 대표가 달려들지만 나미는 준비가 된 상태이고 그에게 의자를 밀어붙인다. 대표는 의자에 갈비뼈를 부딪치고 고통스러운 외마디와 함께 다시 물러선다.

"대표, 아무도 당신에게 더이상 번식하지 말라고 하지 않은 모양이지? 당신네 그 수의사가 당신은 거세하지 못하나 봐? 아니면 당신 부인이 손으로 해주는 게 더 좋지 않았을까?"

대표는 그에게 달려들지만, 팔을 허우적거리며 비틀거린다.

"그만두시지. 이제 당신은 안돼." 그는 피곤한 듯 말하고 다시 스프 그릇 쪽에 앉는다. 대표의 부인은 서서 앞치마로 입을 가린다. 세 팔의 아이가 그녀에게 달라붙는다. 그는 스프를 먹고, 스푼이 그릇에 부딪혀 달그락거린다. 대표는 테이블에 기대고서 힘겹게 숨을 쉰다.

"방 준비해 줄게." 더 이상 침묵을 견딜 수 없게 되자 결국 여자
가 말을 꺼낸다. 아이 손을 잡고 거실을 나간다.

≈

그는 자자를 기억이 가물가물한 예전부터 아이들과 갈색 막대 사탕
을 사러 다녔던 디저트 카페 달콤한 수탉으로 초청한다. 문에는 더러
운 고무 밴드들이 걸려있는데 파리의 공격을 막기위한 것이지만 별
로 효용이 있는 거 같지는 않다. 자자는 밀을 발효한 음료로 비타민
이 매우 풍부해서 어린아이나 산모에게 많이 주는 보자[10]를 마신다.

"나 알렉스랑 결혼했어." 자자가 덧붙여 말하듯 한마디 한다.

그는 굳어지고 충격을 감추기 어렵다. 천천히 숟가락만 휘젓는
다. 차가 너무나 까매서 찻잔 바닥이 보이지 않는다.

"그 멍청이와?"

"응, 걔와" 자자는 표정없이 고개를 끄덕인다.

그는 말이 없다. 빠르게 뭔가를 말하고 싶은데 어색함만이 순간
순간 자라난다.

"네가 상상이나 할 수 있을지 잘 모르겠어." 자자가 계속한다.
"여하튼 내 상황에서 남편을 찾는 게 쉬운 일은 아니었어."

"당연하지. 나도 알아." 그가 빠르게 말한다.

"그건 당연해."

---

10) 보자: 발칸지역 등에서 디저트로 많이 마시는 발효 음료의 하나.

"그리고 알렉스는 내게 아무것도 묻지 않았어."

"자자야. 난 널 전혀 원망하지 않아." 미안한 듯 말한다. 그는 주먹 진 손 안에서 손톱으로 손바닥을 세게 누른다. 뚱뚱하고 붉은 머리 알렉스와 하다니.

자자는 냉소적으로 웃는다.

"그래, 너 참 착하다."

"그럼 내가 뭘 했어야 했니?"

"난 모르지. 도망치지 않는 거?"

그는 오른손 바닥을 얼굴에 대며 크게 한숨을 쉰다. 말이 없다. 자자가 화가 나서 숨을 거칠게 쉬는 소리를 듣고 있다. 자자는 양손으로 자신의 배를 어루만지고 나미는 그녀의 약간 둥근 배를 쳐다본다. 자자는 그의 표정을 보며 다시 쓰디쓴 웃음을 짓는다.

"그래, 맞아, 그렇다고. 아이를 가졌어. 그 멍청이의."

"그런 거라면 축하해. 아아. 진심으로."

"노력할 필요 없어. 알렉스가 멍청하기는 해도 날 사랑해. 우리를 돌보지. 그리고 버리지도 않고."

그는 자자가 울음을 터뜨리지 않게 해 달라고 정령에게 기도한다. 그녀가 울게 된다면 견딜 수가 없을 것 같다. 하지만 자자는 강인하다. 그녀는 그가 살면서 만났던 강인한 여자들이 지녔던 강한 턱을 지녔고 입가에는 두 개의 선명한 주름이 져 있다. 이런 여자들은 그냥 울지는 않았다. 그는 바클라바[11] 두 개를 주문한다. 본인 걸 금방 먹어 치우고 이빨 사이에는 견과류 조각만이 남아있다. 자자는 자기 걸 그저 끄적거리고만 있다.

"먹어, 두 사람 몫을 먹어야지."

자자는 살짝 웃으며 한 조각을 입에 넣는다. 바클라바는 촉촉하고 설탕 시럽이 자자의 턱을 타고 흐른다.

"아이를 가지겠구나. 아이에게 노래도 해줄테고 콜로스 산에 잠들어 있고 우리를 보호하기 위해 올 금장한국에 대한 동화도 이야기해주겠네." 그가 미소 짓는다.

"그래, 매일 저녁."

"그래, 그거 좋지. 그리고 호수의 정령에 대해서도."

자자는 말없이 집중에서 씹는다. 나미는 보로스에서는 책임감 없는 미친 놈만이 아이를 세상에 내놓는다라고 말하고 싶지만 그 말 대신 그녀에게 다시 먹도록 권하기만 한다. 자자는 작은 여자아이처럼, 예전에 디저트 카페 달콤한 수탉 집에 데려갔던 보로스의 모든 아이들처럼 행동한다. 아이가 플라스틱 의자에 앉아 접시에 있는 것을 입에다 넣어도 될 만한 것이었는지를 인식하지 못했다는 것을 마침내 깨닫는 그 순간까지, 그렇게 오랫동안 이 가게는 아이들을 갈취했다.

---

11) 바클라바(baklava): 발칸국가, 튀르키예 등 아랍문화권에서 즐겨먹었던 디저트의 하나로 얇은 밀가루 반죽을 여러 겹 겹쳐서 만들고 그 사이에 시럽, 견과류, 버터 등을 넣어 만드는 페스트리의 일종.

"우리 되돌릴 수 없는 거지, 맞지?" 그녀가 음식을 다 먹자 마침내 말을 꺼낸다.

그는 어깨를 으쓱한다. "아 … 흠…."

"그때는 나 임신하지 않았었어. 그걸 묻는 거면 당시는 아니었어. 흉측한 소련 질병도 걸리지 않았었고."

"흠. 나는 원했…."

"그런데 넌 도망쳤지."

"자자야, 유감이야. 난 패닉 상태였고…, 그들은 총이 있었고 돌대가리들이었어."

"나도 알아. 그리고 그 둘 중 하나는 연습 중에 자기 머리를 쐈대. 생각해봐, 스스로 말이야. 술에 취했던 모양이야"

"자자야."

"나 하루 밤도 잠을 자지 못했어. 우물에 빠지려고 했는데 레미나이모가 나를 보셨어. 결국 내가 아무 짓도 못하게 몇 주 동안이나 광에 가두었고 내게 양귀비 즙을 줬었지." 그녀가 기계적으로 웃는다.

"맙소사."

"그러자 난 우울한 생각을 안 하게 됐어."

그는 시선을 떨군다.

"넌 어디 있었니?"

숨을 크게 들이쉬지만 그저 손만 내젓는다. "긴 얘기야."

"아하"

"아니, 정말로 언젠가 너에게 이야기할 게."

"정말?"

"정말."

"그래 좋아."

"당연하지"

"그럴 만한 가치는 있었니, 나미야?" 디저트 카페 만의 손님들이 고개를 돌릴 정도로 자자가 예상치 못하게 소리를 높인다.

"말해봐! 네가 떠났던 게 적어도 무슨 의미가 있었는지?"

나미는 침묵한다. 대략 여덟 살 정도 보이는 여자아이가 계산대에서 여직원에게 자기 장난감을 보여주고 있다. 그건 열쇠에 다는 여자아이 모습의 인형이다. 장난감의 기계를 돌리면 인형의 크리놀린이 돌아가고 백조의 호수 모티프가 흘러나온다. 그 기계의 숨이 다할 때면 계속해서 더 천천히, 더 비정상적인 멜로디가 흘러나온다.

그는 자자를 정말로 사랑한다고 생각하며 그 멍청이 알렉스의 아이를 가졌다고 하더라도 변하는 것은 아무것도 없다고 생각한다. 그리고 여기 그녀와 함께 있는 게 기쁘다고 생각한다.

≈

"술 한잔 해야겠는 걸," 대표가 말을 꺼낸다. 잔을 채우자 손이 떨리며 테이블에 약간 쏟는다. 그에게 잔을 건네고 잔을 부딪히며 바닥에 조금 흘린다. "네 할머니를 추억하며"라고 말한다.

"그럼, 그렇지. 할머니가 그렇게 안되셨으면 당신이 이런 멋진 집에 살지 못했을 테니까. 하지만 잠시 동안인 거지, 그렇죠?"

그가 말하며 보드카 잔을 비운다. "할머니의 유산을 위하여!"

"대체 뭘 원하냐? 내가 원하기만 하면 널 부셔버릴 수 있어. 콜호스의 청년들과 얘기하면 넌 내일쯤이면 이미 호수의 정령과 함께하게 될 걸."

"당연 그렇겠지. 샤흐나스처럼? 당신들이 폭력을 가하고 익사시킨 그 아픈 녀석처럼? 나도 그렇게 똑같이 하시겠다 이건 가?"

대표는 몸을 곧게 세워 똑바로 앉으며 눈을 크게 뜬다. 잠시동안 숨이 막히는 것처럼 보인다. 요람의 아이가 움직이기 시작하며 옹알댄다.

"샤흐나스의 가족은 어디 있어? 어디 살지?"

"보로스 뒤편에." 대표가 손으로 서쪽방향을 가리킨다. "조선소와 드라이독이 있던 곳에서 조금 더 가면 거기 쓰러져가는 집이 하나 있어, 아니 오두막이라는 편이 낫겠군. 거기에 그의 아버지가 살아. 거기는 온통 쓰레기 더미 천지라 그걸로 쉽게 알아볼 수 있을 거다." 그는 큰소리로 트림을 한다. "그런데 그 인간 또라이야."

그는 고개를 끄덕인다. "아이가 우네."

나미는 가방을 한쪽 어깨에 둘러메고 작별인사 없이 밖으로 나온다. 간난 아이가 소리치며 울어 대는 소리가 들린다. 대표의 부인이 아이를 위해 내려온다. 요람에서 아이를 꺼내고 품에 안고 달래준다. 그를 따라 포치로 달려 나온다.

"네 엄마를 알았었어." 빠르게 말한다.

"정말로요?" 그는 흥미없이 말을 한다.

"그래 정말. 나랑 같은 반이었어. 파란색 눈을 가졌었고 샤흐나스 뿐만 아니라 모든 남자아이들이 그녀를 좋아했지. 그렇게 예뻤었어."

나미는 여자를 한방 치고 싶은 강한 욕구를 느낀다.

그 대신에 한 주먹으로 다른 손의 손바닥을 친다. 부두 쪽으로 뛰어내려가 도로를 따라서 걸으면서 주유소를 지나고 조선소를 지나서 오두막 몇 채가 서 있는 오래된 어부들의 정착지까지 걸어간다. 그는 회상하며 석양의 광채 속 보로스를 바라본다. 집시 촌의 쓰레기나 쓰러져가는 소련 거주촌을 포함한 이 모든 지역이 아름답게 여겨진다. 지평선에 장밋빛 구름이 모양을 만든다. 올해 첫 모기가 물기 시작한다.

≈

대표 말이 맞았다. 집들 중 하나가 사람이 사는 흔적이 있고 잡동사니들로 둘러 쌓여 있다. 울타리에는 냄비, 가죽으로 된 끈들, 신발 한 짝 혹은 켤레, 플라스틱 양동이, 여러 금속 통들, 알록달록한 스카프, 모자, 사슬, 로프, 찢어진 초롱, 서류가방, 잠수용 네오프렌 등이 걸려있다. 울타리를 따라서 냉장고, 타이어, 선박용 볼트, 작살, 탐조등, 자동차 배터리, 세면기, 건물의 들보, 널빤지 등이 줄지어 늘어져 있다. 잡동사니 더미가 창문의 일부를 가리고 있다.

집 앞의 포치에 한 남자가 앉아 주석으로 된 그릇을 칫솔로 닦고 있다. 그는 두꺼운 돋보기 너머로 그를 훑어본다. 추리닝 바지에 민소매를 입고 있다. 눈은 선명하고 날카롭고 머리는 하얗고, 근육질의 팔뚝은 햇볕에 그을려 있다.

나미가 인사를 하자 그는 그의 옆 포치 위에 앉으라고 신호를 보낸다. 그는 가방을 내던지고 앉아서 금이 간 집의 벽에 등을 기댔는데, 그에게 인사한 것만으로도 완전히 진이 빠져서 더 이상 다른 말이 나올 거 같지 않아서 침묵한다.

남자는 자기 일을 계속한다. 주석으로 된 꽃병이 완성되자 손에 동으로 만든 절구를 들고 거기에 레몬즙 몇 방울을 떨어뜨리고 그걸 닦는다. 화들짝 몸을 움찔했을 때 그는 그가 잠들었었다는 걸 알아차린다. 남자가 그에게 차 한잔을 건네주자 고개를 끄덕여 감사 인사를 한다. 차는 거의 충격에 가깝게 뜨겁지만 다 마신다. 차는 강하고 매우 달다.

"모든 게 호수로부터 온 거지." 마침내 남자가 오른손을 흔든다. "내가 모두 구해냈지. 귀중품들은 안쪽에 있어. 결혼식 앨범. 그래 그렇지, 자네는 못 믿겠지만 사진도 구할 수 있지. 편지. 지갑. 상아로 된 돌을 새겨 만든 상자들."

남자는 웃으며 말을 멈춘다. 어둠이 내리고 쌀쌀 해진다.

"안으로 들어가세" 남자가 말하면서 일어난다. 안쪽에는 등유 램프가 빛을 내고 있다. 그는 찬장에서 빵조각과 버터와 양파 두 개가 담긴 접시를 가져온다. 그리고 천천히 음식을 씹는데 다시 잠이 쏟아지는 모양새다. 남자는 침대를 가리키며 편안하게 쉬라고 말을 한다. 그게 아들이 쓰던 침대라고.

램프의 불꽃이 흔들리며 그림자를 드리운다. 그는 그의 생물학적 아버지가 잠자곤 했던 그 침대에 그 사실을 인식하기도 전에 드러누워 잠이 든다.

나미는 아침에 깨어나고 숨쉬기가 어렵다고 느낀다. 숨을 내쉬려고 노력하지만 곧 그의 가슴 위에 커다랗고 불그스레한 수고양이 한 마리가 앉았다는 걸 깨닫는다. 빠른 한 동작으로 그를 쫓아내고 침대 위에 앉는다. 그리고는 그가 어디에 있는지 알아차린다. 오래된 집의 쾌쾌한 냄새와 분별하기 어려운 금속 냄새와 바셀린 냄새가 느껴진다. 남자는 테이블 옆에 앉아 큰소리로 뭔가를 읽는다. 낡았지만 깨끗한 셔츠와 검정색 바지를 입고 있다.

스불론 땅과 납달리 땅과
요르단 강 저편 해변 길과
이방인들의 갈릴리여. -
어둠 속에 사는 백성이
큰 빛을 보았고;
죽음의 그림자가 드리워진 영토에 자리잡은 이들에게
빛이 비치었도다.

"마태복음" 나미는 그를 향해 기쁘게 말한다. 그는 일어나 기지개를 켠다. 계속해서 그가 어디에 있는지에 대해 생각한다. 남자는 질문도 하지 않고, 짜증도 내지 않고 그를 조용하게 지켜본다.

"지금 우리 집에 살고 있는 콜호스의 대표가 나를 여기로 보냈습니다." 그가 말한다. 입밖으로 나온 그의 말은 절연체로 쌓여 있는 것처럼 그와 연결되어 있지 않은, 그와는 상관없는 말 같다. "우리 엄마는 마리에 안나입니다. 이 말은 제가 당신 손주라는 뜻인 거죠."

남자는 안경을 벗고 조용하게 그걸 배쪽 셔츠로 닦는다.

"무슨 착오겠지." 말을 잇는다. "난 손자가 없네. 아들도 없고. 난 아내도 없고 다른 친척도 없고. 내 유일한 친구는 예수님 이시지."

그는 어깨를 으쓱해 보인다. 몇 번이고 주먹으로 손바닥을 치고는 집 앞쪽으로 나온다. 태양은 이미 중천에 떠있지만 아직 그림자는 길고 공기는 차다. 자신의 여정의 마지막에 정신나간 인간을 만난다고 놀랄 게 뭐 있겠는가? 아니면 이런 일조차도 없었겠지.

남자는 그를 따라 밖으로 나와 포치에 앉는다. 붉은 고양이가 그를 따라 나와 그의 무릎에 뛰어오른다. 남자는 고양이의 긴 털에 손을 묻고 부드럽게 어루만진다.

"자네는 내 손자가 아니야." 그는 달래듯 말한다. "난 아들이 한 명 있었고 그 아인 천사처럼 깨끗하게 죽었어. 그 일이 벌어졌을 때 자네 엄마는 모든 게 다 사실이겠지만 숫처녀만은 아니었어."

그는 침묵하며 먼 곳을 응시한다. 물이 이미 창백한 아침의 태양 빛을 반사하고 있다.

"그 여자애는 아마도 위기에 처했었겠지, 그 애가 그런 걸 꾸며 냈다고 해서 난 그 애를 원망하지 않아. 그 애가 왜 그렇게 한 건지 신은 아시겠지. 그리고 그런 비슷한 상황에서라면 우리들 중 누구도 그러지 않을 수 있었겠어? 십중팔구 난처한 상황이었을테고 뭘 어떻게 해야 할지 몰랐겠지. 너희 가운데 죄 없는 자가 먼저 돌을 던져라"

그는 난간을 붙잡았는데 순간 다리가 떨리는 걸 느낀다.

"샤흐나스는 좋은 녀석이었어. 머리는 또 얼마나 좋았는지? 선생님보다 더 빨리 계산했지. 그는 예의 바른 놈이었어. 작업실에서는 나를 위해 항상 모든 걸 크기에 따라 깔끔하게 정돈했지. 모든 게 정렬되어 있었고—망치들, 나사들, 뜨개용 실타래까지도—모든 게 덮여 있었고 압핀이 열에서 벗어나는 일은 생기지 않았지." 남자는 살짝 미소 짓는다. "어렸을 때부터 그 열일곱 살까지 잠이 들 때는 그 녀석 엄마가 노래를 불러줬고 항상 똑같은 노래 세곡을 불러줘야만 잠들곤 했어. 가끔 짜증을 부리기도 했고, 한번도 다른 아이들과 어울리질 못했지만 한번도 아무한테도 해를 끼치지 않았어. 아무한테도. 그 녀석은 나를 아바라고 불렀다네." 말을 멈추고는 잠시 후에 계속 한다.

"그들이 어느 날 저녁에 찾아왔어. 1월이었고 7시경이었는데 금방 어두워졌지. 콜호스의 대표 옆에는 주술사, 너의 할아버지, 모든 지체

높은 사람들과 그들의 할머니 등 모두가 있었는데, 그들 모두가 소리를 질렀지. '그 쓰레기를 내놔라!' 우리들 중 누구도 무슨 일이 벌어지고 있는 건지 몰랐고 잠시 후에는 그들이 방에 가득 들어섰어. 그들은 겁에 질린 샤흐나스를 침대에서 끌어냈고, 그 애는 공포로 소리를 질렀지. 자네도 상상이 갈 거요. 아아, 신이시여" 남자는 조용하게 말하며 고양이 쓰다듬는 걸 멈추지 않는다.

"내 아내가 소리를 지르며 그들에게 덤벼들었고 드잡이를 했지만 그들을 막을 순 없었어. 주술사는 무슨 나뭇가지 같은 걸 흔들면서 없어져야만 하는 엄청난 악재가 벌어졌다고 반복했지. 샤흐나스는 아바, 아바라고 불렀지만 난 아무것도 할 수 있는 게 없었어. 그들이 아들을 마당으로 끌고 나가는 걸, 그에게 달려들어 발로 차는 걸 봤지. 그리고는 그를 가지크에 묶고 불을 붙였어. 그녀석은 그저 비명소리만 질러댔지! 그 비명소리가 들리지 않는 날이 없었고, 그 비명소리를 사라지게 해 달라고 자비로운 신에게 기도하지 않는 날이 없었어. 그렇게 그 애를 호수로 데려갔지. 그를 호수에 던졌을 때는 이미 죽어 있었을 거야, 난 그 일에 대해 기도를 하네."

남자는 마치 버스 시간표를 얘기하듯이 침착하다. 고양이는 그의 무릎 위에서 기지개를 켜더니 포치 쪽으로 뛰어내려간다. 거기서부터 벽을 따라 어딘가 사냥을 위해, 자기가 좋아하는 모험을 향해 떠나간다. 남자는 보지 않고 너트 하나를 잡아 생각없이 기계 기름을 발라 걸레로 닦는다.

"난 그 애와 작별할 수 없었어. 죄없이 떠났고 너무나 어렸어! 젊은이, 그건 큰 범죄였네. 모든 죄인들에 대해 자비의 신이 함께 하시길 기도하지. 하지만 그건 끔찍한 범죄였어. 그날 밤 내 머리가 하얘졌지. 아내는 미쳐버렸고 일주일 뒤에 스스로 아들을 따라 호수로 걸어 들어갔어. 여기 난 혼자 있네." 팔을 서툴게 펼치자 황동의 나사가 무릎에서 땅으로 튀어나간다. 그는 몸을 숙여 그걸 집고 그걸 멍하게 바라보는 남자에게 건넨다.

"그 일이 벌어졌을 때는 순간 내게서 모든 힘이 빠져나가는 거 같았어. 마치 해일이 덮쳤던 것처럼 갑자기 모든 힘을 잃어버렸어. 바닥에 주저앉아서 일어날 수가 없었지."

다시 잠시동안 말이 없다.

"자네 이제 더 이상 여기서 아무것도 들리지 않는다는 걸 느꼈나? 전에는 소련인들이 겁을 주듯 종종 전투기들이 날아다녔잖아. 군대의 에어쇼는 기억하지? 정말 천둥소리 같았지! 부두에서 뱃고동 소리도 들렸었고 수산 조합이 작업 교대를 알리는 소리도 울렸고. 낙타들이 웅얼거리고 당나귀들이 시끄럽게 울어 대기도 했지. 공중파 라디오, 그건 재미있었고…, 그 건설적인 노래들이라니! 지금은 모든 게 죽어버린 것처럼 조용해."

"난 이게 편안합니다." 그가 대답한다. 손에는 풀을 뜯어 쥐고 있다.

"몇 년 전에 여기서 소련 군 잠수부들이 침몰한 잠수함을 찾았지. 난 그걸 보러 다녔고 그러다가 한 가지 생각이 떠올랐어. 보드카 몇 병으로 잠수하는 걸 배웠는데 내게 잠수용 오버롤과 기계까지 주고 갔단다. 호수에서 샤흐나스를 찾아내서 집으로 데려와야겠다는 생각이 들었지. 내가 충분하게 오래 잠수를 한다면 그를 다시 만나겠지. 호수의 정령은 그런 방식으로 온 사람들을 별로 반기지 않을테니 분명 그를 내게 돌려줄거라고."

"하지만 벌써 18년입니다!"

"내 몸이 다하는 한 내 아들을 찾을 거네."

"미친 짓입니다."

"나도 그 애가 오래 전에 죽었다는 걸 알지. 하지만 물 밑에 혼자 두는 걸 원치 않아. 그 애가 내가 찾고 있다는 걸 알았으면 좋겠어."

"그래서 저 모든 걸 발견하는 거군요."

"그래, 그렇지. 진흙을 뒤적이면 물이 파동을 일으켜 전혀 보이질 않아. 하지만 뭔가, 뭔가 개인적인 것을 찾으면 항상 그럴만한 가치가 있게 되는 거지. 상감으로 세공된 체스판과 체스, 아름다운 무늬가 있는 작은 슬리퍼의 잔재, 자개를 아로새긴 작은 빗, 학교 노트의 표지. 그 물건에 내가 아는 이름이 있으면 원래 주인에게 돌려주지. 인형을 잃어버린 여자아이에게 그걸 돌려줬는데 잃어버린 지 10년도 더 된 경우도 있었고. 그들에게 내가 황금 양모라도 가져다 준 것처럼 감사 인사들을 해. 어떤 경우에는 이미 죽은 사람의 물건을 발견하기도 하지. 그건 자손들에게 돌려줘; 그럼 어떤 사람들은 감동으로 흐느끼기도 하고, 어떤 사람들은 썩은 자질구레한 것들을 여기로 내던지지, 내가 지나다닐 문만 놔두고."

"사람은요? 언제 발견한 적도 있습니까?"

남자는 어깨를 으쓱해 보인다. "아직 아니! 하지만 살면서 한 번도 본적이 없는 물고기는 발견했었지. 5미터 길이의 철갑상어를 말이야. 작고 빛나는 머리를 가졌었지. 그 와중에 눈은 즐거운 듯했고. 하지만 이미 오래전 일이네."

나미는 침묵한다. 붉은 털 고양이가 그의 다리에 몸을 문지르지만 그는 고양이를 살포시 밀어낸다.

"뭐라도 먹자고." 남자가 말한다.

"왜 나를 챙기는 겁니까?"

남자는 돌아서서 질문을 이해하지 못하겠다는 듯 그를 쳐다본다. "왜 자네를 챙기냐고? 젊은이, 겨우 양파와 빵인 걸." 어깨를 으쓱한다.

그럼 누가 진짜 내 아버지란 말입니까라고 무심한듯 묻는다. 남자는 어떤 문은 열지 않는 것이 더 낫다는 의미로 뭔가를 대답하지만 그는 그런 말은 필요 없다고 노여워 말한다. 나미는 성년이고 본인 안에 어떤 피가 흐르고 있는지 알기를 원한다고.

"나는 모르네. 샤흐나스는 자네 어머니에게 미쳐 있었고 그녀가 가는 발자국마다 쫓아다녔지. 그녀는 보로스의 열일곱 살 소녀들이 그런 것처럼 아주 아름다웠지. 샤흐나스는 그녀가 어떤 소련 군인과 몰래 만난다는 걸 알고 있었어. 그래, 무슨 소련 수비대 소속이라든가."

"소련 수비대요?"

"젊은이, 난 모르네. 샤흐나스가 그걸 일기에 썼어. 그들이 숲에서 만나곤 하는 걸 뒤쫓아 다녔다고. 그게 오랫동안 이어졌고. 그것 때문에 샤흐나스는 너무 슬퍼했어, 사랑에 빠진 남자가 그러듯이 말이야."

"아닙니다."

"그래, 그렇겠지, 자네를 이해하네. 잊어버리게."

"아니아니!"

그는 달려들어 남자를 짓누르고 가슴에 머리를 박는다. 나이든 남자는 숨을 헐떡인다. 나미는 헤드록을 걸어 붙들고 잠시 그 상태를 유지한다. 그가 공격하는 걸 멈췄다는 게 보이자 서로가 끌어안는다. 포옹은 지속된다. 삼십 초, 일 분. 그러고 나서 남자가 말한다. 계란요리를 해주겠다고.

남자는 스크램블드에그를 만들고 빵을 살짝 굽는다. 그들은 포치에 앉아 말없이 음식을 먹는다. 그러고 나자 남자는 그에게 설거지를 하고 잠수용 네오프렌을 걸으라고 한다. 그는 미동도 없이 앉아 오랫동안 호수를 바라본다. 그리고 자기도 가고 싶다고 말한다. 본인도 그와 함께 샤흐나스를 찾고 그 모든 잃어버린 물건들을 찾고자 잠수하는 걸 배우고 싶다고 말한다. 마침내 그 망할 놈의 정령을 본인 눈으로 직접 보고 싶다고. 남자는 침구를 널기 위한 막대기 위에 걸려있는 네오프렌을 가리킨다.

그는 손을 배에 올린다. 또 한번 배 부르게 먹은 게 기분이 좋다. 하지만 자신의 내면 깊숙한 곳을 더듬어보면 그 안에서 아무 감정의 찌꺼기도 느낄 수가 없다. 그저 야생 짐승이 언젠가 파 놓은 텅 비고 긴 굴만이 있을 뿐이다. 그는 사랑했던 사람들 속에 조각들을 남겨두었지만 자기 자신 속에는 더 이상 아무 것도 없다.

"저기 정령이 없다는 거 나도 잘 압니다." 그는 덧붙여 말하고 모래를 털기 위해 신발을 벗는다. 남자는 조용히 그를 바라보고는 모터 바이크를 플러그에서 빼낸다.

"이제 오게나." 끈기를 가지고 말한다.

"올라타게."

"여기 빌어먹을 정령이라는 건 당연히 없죠. 어쩌면 옛날에는 있었을 수도 있겠지만요. 하지만 오늘날 저 하수구에는 그저 유해물질과 사체와 잡동사니 뿐입니다."

"이제 다 떠들었나? 그럼 난 가네." 남자가 말하며 모터 바이크를 출발시킨다.

그들은 모터 바이크를 타고 거의 물가까지 다가간다. 네오프렌으로 갈아입고 메마르게 갈라지고 소금기가 있는 바닥을 지나 수면이 닿는 곳까지 걸어간다. 약한 바람이 뭔지모를 사막 식물의 씨와 함께 자디잘고 날카로운 털을 날리고 있지만 그는 네오프렌의 모자를 머리에 당겨쓰고 있어서 견고한 기슭을 조용하게 간지르는 소리가 들리지 않는다. 그리고 얼굴에는 호흡용 마스크를 쓰고 있어서 악취가 느껴지지 않는다. 물은 얼음장 같지만 그는 네오프렌으로 인해 인식하지 못한다.

호수가 천천히 열리고 나미가 그 속으로 들어간다.

[체코 문학]

호수

1판 1쇄 2024년 5월 8일
ISBN 979-11-92667-39-3 (03890)

저자 비앙카 벨로바
번역 유선비
편집 김효진
교정 황진규
제작 재영 P&B
디자인 우주상자
펴낸곳 마르코폴로
등록 제2021-000005호
주소 세종시 다솜1로9
이메일 laissez@gmail.com
페이스북 www.facebook.com/marco.polo.livre